Collection
PROFIL LITTÉRATURE
dirigée par Georges Décote

Série
PROFIL D'UNE ŒUVRE

Le Rouge et le Noir (1830)

STENDHAL

Résumé
Personnages
Thèmes

PAUL LIDSKY
agrégé des lettres modernes
ET CHRISTINE KLEIN-LATAUD
agrégée des lettres classiques

SOMMAIRE

ISSN 0750-2516 ISBN 04723-3

Toutes les références de pages renvoient à l'édition Gallimard, coll. « Folio », 1990.

1 Stendhal et son temps

« Il aima Cimarosa, Shakespeare, Mozart, Le Corrège. Il aima passionnément V..., M..., A..., Ange M..., C..., et quoiqu'il ne fût rien moins que beau, il fut aimé beaucoup de quatre ou cinq de ces initiales » (Notice biographique sur Henri Beyle, avril 1837, à lire après sa mort, non avant).

Vie et œuvre de Stendhal	Mouvement littéraire	Événements politiques
1783 Naissance d'Henri Beyle à Grenoble.		
1790 Mort de sa mère. Enfance sombre auprès d'un père qu'il déteste.		**1789** Début de la Révolution française.
1793 En réaction contre sa famille, il se réjouit de l'exécution de Louis XVI.		**1793** Exécution de Louis XVI.
1796 Entre à l'école centrale de Grenoble pour préparer le concours de l'École polytechnique.		**1795-1799** Le Directoire.
1799 Se rend à Paris sous prétexte de passer ce concours. Il fréquente le salon de son cousin Daru qui lui obtient un poste de sous-lieutenant au 6e dragon dans l'armée d'Italie.	Chateaubriand : *Atala, René, Le Génie du Christianisme.*	**1799-1804** Le Consulat.
1802 Il est mis en congé et vit à Paris, fait quelques voyages. Esquisses de comédies, rédaction d'un journal intime.		**1804-1814** L'Empire. Première Restauration.
1806 Il revient dans l'armée comme officier d'intendance. Séjourne en Allemagne et en Autriche.		
1810 Est nommé auditeur au Conseil d'État, une agréable sinécure.	Mme de Staël, *De l'Allemagne* (1810)	Guerres incessantes.

Vie et œuvre de Stendhal	Mouvement littéraire	Événements politiques
1812 Suit la campagne de Russie et assiste à l'incendie de Moscou.	Byron, *Childe Harold.* Leopardi, *Poesia romantica.*	Guerres incessantes.
1813-1814 Participe de loin aux campagnes napoléoniennes tout en poursuivant sans rien publier une activité littéraire intense.		Première abdication de Napoléon à Fontainebleau.
1814 S'installe à Milan et écrit des ouvrages de critique : *Vie de Haydn, Vie de Mozart, Vie de Métastase.* Se grise de théâtre et de musique italienne.		Waterloo. Deuxième Restauration. **1815-1824** Règne de Louis XVIII.
1816 *Vie de Napoléon* (qui sera reprise et publiée plus tard).		
1817 *Histoire de la peinture en Italie, Rome, Naples et Florence,* essais socio-esthétiques signés pour la première fois du pseudonyme de Stendhal. Amour-passion pour Métilde.		
1821 Inquiété par la police autrichienne, il quitte Milan pour revenir à Paris. Fréquente les salons et se lie avec Delacroix.	Lamartine, *Méditations.*	**1821** Mort de Napoléon.
1822 *De l'amour,* analyse de la naissance de la passion qui est l'œuvre la plus chère à son auteur mais fut un fiasco littéraire complet.	Las Cases, *Mémorial de Sainte-Hélène.*	
1823 *Vie de Rossini.*		
1824 Début des amours avec Clémentine Curial, qui durent trois ans et ont une importance déterminante (elle inspire en partie le personnage de Mathilde de La Mole).		**1824-1830** Règne de Charles X.
1825 *Racine et Shakespeare,* défense du romantisme.	Vigny, *Poèmes antiques et modernes.*	Les ultras au pouvoir.
1827 *Armance,* premier roman de Stendhal.	Hugo, *Préface de Cromwell,* qui entame le grand combat romantique.	

Vie et œuvre de Stendhal	**Mouvement littéraire**	**Événements politiques**
1829 *Promenades dans Rome.*	Hugo, *Les Orientales.*	**1830** Révolution de Juillet. Les Trois Glorieuses.
1830 *Le Rouge et le Noir.*	Hugo, *Hernani.* Lamartine, *Harmonies poétiques et religieuses.*	
1830-1835 Grâce au changement de régime, nommé consul à Trieste puis à Civita-Vecchia, aux portes de Rome. Commence à rédiger *Lucien Leuwen* et *Lamiel*, deux romans restés inachevés, et la [*Vie de Henry Brulard*]. Publie les *Souvenirs d'égotisme* (1832). [*Chroniques italiennes* (posthume) en 1855].	Hugo, *Notre-Dame de Paris, Les Chants du crépuscule.* Balzac, *La Peau de chagrin, Eugénie Grandet, Le Père Goriot, Le Lys dans la vallée.* Vigny, *Servitude et Grandeur militaires, Chatterton.* Musset, *Lorenzaccio.*	**1830-1848** Règne du roi bourgeois Louis-Philippe. **1835** Attentat manqué de Fieschi contre Louis-Philippe : mesures répressives, en particulier contre la presse.
1836 Retourne à Paris parce que sa santé l'oblige à prendre un congé de trois ans.	Musset, *La Confession d'un enfant du siècle.*	
1838 Voyage en Angleterre. Publie les *Mémoires d'un touriste.* Écrit en cinquante-deux jours *La Chartreuse de Parme*, œuvre publiée l'année suivante.	Hugo, *Ruy Blas.*	
1839 Rejoint son poste à Civita-Vecchia.	Hugo, *Les Rayons et les Ombres.* Mérimée, *Colomba.*	
1841 Nouveau congé. Retourne à Paris à cause d'une crise d'apoplexie.		
1842 Meurt à Paris le 23 mars.		

N.B. Les titres entre crochets indiquent les publications posthumes.

2 Stendhal et Le Rouge et le Noir

LES SOURCES HISTORIQUES

L'affaire Berthet

Lorsqu'il publie *Le Rouge et le Noir*, en 1830, Stendhal a quarante-sept ans. Certes, il a déjà toute une œuvre derrière lui : biographies d'artistes, critique esthétique, traités littéraires et psychologiques. Mais il est un romancier presque débutant : *Armance*, l'unique roman qui précède *Le Rouge et le Noir*, est un ouvrage très mince. *Le Rouge et le Noir* marque donc une étape capitale dans la création de Stendhal : son choix de la forme romanesque comme mode d'expression privilégié.

« Je ne puis mettre de haute portée ou d'esprit dans le dialogue tant que je songe au fond. De là l'avantage de travailler sur un conte tout fait comme *Julien Sorel* », note Stendhal en marge de *Lucien Leuwen*. La trame romanesque du *Rouge et le Noir* est en effet empruntée à un fait divers publié dans la *Gazette des tribunaux* en décembre 1827. On jugera de la ressemblance entre Antoine Berthet et Julien Sorel d'après les extraits suivants qui méritent d'être largement cités :

« Antoine Berthet, âgé aujourd'hui de vingt-cinq ans, est né d'artisans pauvres mais honnêtes ; son père est maréchal-ferrant dans le village de Brangues. Une frêle constitution, peu propre aux fatigues du corps, une intelligence supérieure à sa position, un goût manifesté de bonne heure pour les études élevées, inspirèrent en sa faveur de l'intérêt à quelques personnes ; leur charité plus vive qu'éclairée songea à tirer le jeune Berthet du rang modeste où le hasard de la naissance l'avait placé, et à lui faire embrasser l'état ecclésiastique.

Le curé de Brangues l'adopta comme un enfant chéri, lui enseigna les premiers éléments des sciences, et, grâce à ses bienfaits, Berthet entra, en 1818, au petit séminaire de Grenoble. En 1822, une maladie grave l'obligea de discontinuer ses études. Il fut recueilli par le curé, dont les soins suppléèrent avec succès à l'indigence de ses parents. À la pressante sollicitation de ce protecteur, il fut reçu chez M. Michoud qui lui confia l'éducation de ses enfants [...]. Mme Michoud, femme aimable et spirituelle, alors âgée de trente-six ans, et d'une réputation intacte, pensa-t-elle qu'elle pouvait sans danger prodiguer des témoignages de bonté à un jeune homme de vingt ans dont la santé délicate exigeait des soins particuliers ? Quoi qu'il en soit, avant l'expiration d'une année, M. Michoud dut songer à mettre un terme au séjour du jeune séminariste dans sa maison [...].

En 1825, il obtint alors d'être admis au grand séminaire de Grenoble ; mais, après y être demeuré un mois, jugé par ses supérieurs indigne des fonctions qu'il ambitionnait, il fut congédié sans espoir de retour [...].

Il songea de nouveau à la carrière qui avait été le but de tous ses efforts, l'état ecclésiastique. Mais il fit et fit faire de vaines sollicitations auprès des supérieurs des séminaires de Belley, de Lyon et de Grenoble. Pendant le cours de ces démarches, il rendait les époux Michoud responsables de leur inutilité. Les prières et les reproches qui remplissaient les lettres qu'il continua d'adresser à Mme Michoud devinrent des menaces terribles. On recueillit des propos sinistres : *Je veux la tuer*, disait-il dans un accès de mélancolie farouche [...]. M. Michoud s'occupait activement à lui rouvrir l'entrée de quelque séminaire ; mais il échoua [...]. Tout ce qu'il put obtenir, fut de placer Berthet chez M. Trolliet, notaire à Morestel [...].

C'est au mois de juin dernier que Berthet était entré dans la maison Trolliet. Vers le 15 juillet, il se rend à Lyon pour acheter des pistolets.

Le dimanche 22 juillet, de grand matin, Berthet charge ses deux pistolets à doubles balles, les place sous son habit, et part pour Brangues [...]. À l'heure de la messe de paroisse, il se rend à l'église et se place à trois pas du banc de Mme Michoud. Il la voit bientôt venir accompagnée de ses enfants dont l'un avait été son élève. "Ni l'aspect de sa bienfaitrice, dit M. le procureur général, ni la sainteté du lieu, ni la solennité du plus sublime des mystères d'une religion, au service de laquelle Berthet devait se consacrer, rien ne peut émouvoir cette âme dévouée au génie de la destruction." Il attend avec une infernale patience l'instant où le recueillement de tous les fidèles va lui donner les moyens de porter des coups assurés. Ce moment arrive, et lorsque tous les cœurs s'élèvent vers Dieu présent sur l'autel, lorsque Mme Michoud prosternée mêlait peut-être à ses ferventes prières le nom de l'ingrat qui s'est fait son ennemi le plus cruel, deux coups de feu successifs et à peu d'intervalle se font entendre. Les assistants épouvantés voient tomber presque en même temps et Berthet et Mme Michoud, dont le premier mouvement, dans la prévoyance d'un nouveau crime, est de couvrir de son corps ses jeunes enfants effrayés. »

Le cas Lafargue

Stendhal rapproche ce destin de celui d'un autre assassin de l'époque, l'ébéniste Lafargue qui avait tué sa maîtresse. Il les englobe dans sa vaste réflexion sur la force de caractère – la vertu, au sens antique – et l'énergie (cf. la nouvelle *Vanina Vanini* écrite à la même époque). Recherchant des héros passionnés et généreux, il les trouve parmi les hommes du peuple :

« Tandis que les hautes classes de la société parisienne semblent perdre la faculté de sentir avec force et constance, les passions déploient une énergie effrayante dans la petite bourgeoisie, parmi ces jeunes gens qui, comme M. Laffargue[1], ont reçu une bonne éducation mais que l'absence de fortune oblige au travail et met en lutte avec les vrais besoins.

Soustraits, par la nécessité de travailler, aux mille petites obligations imposées par la bonne compagnie, à ses manières de voir et de sentir qui étiolent la vie, ils conservent la force de vouloir, parce qu'ils sentent avec force.

1. Lafargue est orthographié avec deux « f » par Stendhal, contrairement aux archives judiciaires.

Probablement tous les grands hommes sortiront désormais de la classe à laquelle appartient M. Laffargue. Napoléon réunit autrefois les mêmes circonstances : bonne éducation, imagination ardente et pauvreté extrême[1]. »

Le personnage de Lafargue, sur lequel il revient à plusieurs reprises dans *Promenades dans Rome*, ouvrage composé à la même époque que *Le Rouge et le Noir*, lui fournit aussi un certain nombre de traits physiques qu'il prête à Julien.

« Laffargue a vingt-cinq ans [...]. Il a reçu de la nature une physionomie intéressante. Tous ses traits sont réguliers, délicats, et ses cheveux arrangés avec grâce. On le dirait d'une classe supérieure à celle qu'indique son état d'ébéniste[2]. »

Aussi Stendhal se vante-t-il que « tout ce qu'il raconte est réellement arrivé ». Il rédige rapidement son roman, entre la fin de l'année 1828 et 1830, période propice : « J'étais devenu parfaitement heureux, c'est trop dire, mais enfin fort passablement heureux en 1830 quand j'écrivais *Le Rouge et le Noir*[3]. »

Entre le début et la fin de la rédaction, le roman fut considérablement étoffé, et passa d'une ébauche intitulée *Julien* au gros livre que nous connaissons.

LE MYSTÈRE DU TITRE

Stendhal arrêta tardivement le choix de son titre (mai 1830). Il avait un goût marqué pour l'énigme et le souci d'intriguer le lecteur. D'autre part, les couples de couleurs l'avaient toujours séduit, comme le montrent *Le Rose et le Vert*, titre d'un roman inachevé, et cette note du manuscrit de *Lucien Leuwen* : « *Rouge et Blanc*, titre du livre ou nouveau titre *Bleu et Blanc*, pour rappeler *Le Rouge et le Noir* et fournir une phrase aux journalistes. Rouge, le républicain Lucien, Blanc la jeune royaliste de Chasteller[4]. »

---

1. et **2.** Stendhal, *Promenades dans Rome*, 23 novembre 1828.

3. Stendhal, *Vie de Henry Brulard*.

4. Stendhal, *Romans et Nouvelles*, (Gallimard, « Bibliothèque de la Pléiade », t. I, p. 1489).

De nombreuses explications furent proposées pour ce titre. La plus simple est celle des deux couleurs du jeu de la roulette : Julien joue le noir et perd. Deuxième explication, le rouge symbolise la carrière militaire et le noir l'état ecclésiastique. Questionné sur l'énigme du titre, Stendhal aurait répondu à un journaliste : « Le rouge signifie que, venu plus tôt, Julien, le héros du livre, eût été soldat ; mais à l'époque où il vécut, il fut forcé de prendre la soutane » (article du *National*, 1er avril 1842).

Henri Martineau[1] fait le point sur la question. Les diverses interprétations se ramènent à deux réseaux : le Rouge, c'est la gloire militaire, la Révolution et l'Empire, la passion et le sang, et la mort au bout, personnifiée par le bourreau. Le Noir, est le symbole de l'état sombre où la France est tombée depuis 1815 : domination des prêtres, ennui, intrigue omniprésente succédant à la bravoure.

Geneviève Mouillaud[2] a cherché à ce titre une interprétation psychanalytique. Relevant plusieurs scènes où le décor rouge est associé à des éléments noirs, elle ramène toutes ces variantes à une « scène originelle » qui exprimerait l'amour de Stendhal pour sa mère et sa haine mortelle pour son père. Elle fait apparaître un réseau noir : le père, les prêtres, le deuil, le cimetière, et un réseau rouge associant sous le signe du crime l'amour, l'inceste, le meurtre du père et la Révolution. Stendhal lui-même n'aurait pas été conscient de ces fantasmes issus de son enfance.

Cette piste intéressante n'exclut pas les interprétations politiques vues précédemment.

Mis en vente le 15 novembre 1830, sous la forme de deux volumes *in-octavo* tirés à 750 exemplaires, le roman eut une seconde édition chez le même libraire, comme le prévoyait le contrat, mais ce fut tout : l'ouvrage n'eut guère de succès. Il scandalisa même (cf. p. 73). Mais Stendhal, sûr de son génie, fit, contre les philistins de son époque, confiance à la postérité : « Je serai compris en 1880. »

---

1. H. Martineau, *Le Cœur de Stendhal*, (Albin Michel, chap. XXIII).
2. G. Mouillaud, *Le Rouge et le Noir, le roman du possible*, (Larousse, 1973).

3 Résumé

PREMIÈRE PARTIE

Chapitres	Localisation	Peinture sociale
1 **2** **3** **4** **5** **6** **7**	Verrières	Une petite ville de Franche-Comté sous la Restauration. Le maire, M. de Rênal noble conservateur et fortuné. Le dépôt de mendicité [1]. Le curé janséniste. Portrait de Mme de Rênal. M. Sorel, un paysan rusé. Négociation entre M. de Rênal et M. Sorel. L'enfance de Julien. L'éducation de Mme de Rênal. Les rapports entre époux dans une famille noble de province.
8 **9** **10** **11**	Vergy, résidence de campagne de M. de Rênal	Les rapports d'un noble avec sa « domesticité ».
12	Voyage dans les montagnes du Jura	
13 **14** **15** **16** **17**	Vergy	Le curé Chélan, destitué, est remplacé par le vicaire Maslon, l'homme de la Congrégation (société secrète ultra [2]). Intrigues politiciennes pour l'obtention du poste de premier adjoint à la Congrégation.
18	Verrières puis Bray-le-Haut	Préparatifs de la visite du roi Charles X à Verrières. La cérémonie religieuse présidée par le jeune évêque d'Agde, neveu du marquis de La Mole.

1. Centre d'hébergement des déshérités.
2. Cf. ci-dessous, p. 22.

Temporalité	Intrigue
Automne 1826 Chapitres I à VI Trois jours Julien a dix-neuf ans (p. 44) Chap. VII Il a déjà touché cinq mois de gages (p. 53)	Julien Sorel, dernier fils d'un paysan enrichi par l'exploitation d'une scierie, est engagé comme précepteur de ses enfants par le maire, M. de Rênal, noble conservateur et vaniteux. Julien, d'une constitution fragile, a été dominé et malmené par son père et ses frères. Pour sortir de son milieu, il ambitionne une carrière ecclésiastique. Mme de Rênal est impressionnée par Julien dès leur première rencontre. Celui-ci s'impose immédiatement comme précepteur et se fait respecter. Admiration tendre et respectueuse de Mme de Rênal pour Julien.
Printemps 1827 Été Trois mois environ	Avec le printemps, M. de Rênal et sa famille s'établissent à Vergy, leur résidence de campagne. Julien refuse la proposition de mariage d'Élisa, la femme de chambre de Mme de Rênal. Il entreprend de séduire Mme de Rênal (il lui prend la main). Bonheur de Mme de Rênal, amoureuse de Julien, terni par le remords lorsqu'elle prend conscience de son « adultère ».
Trois jours	Julien, qui a obtenu trois jours de congé, se rend chez son ami Fouqué, un marchand de bois, qui lui propose une association. Julien refuse ce projet qui lui assurerait un bien-être médiocre loin de ses ambitions.
Un jour Un jour Un jour-une nuit Le lendemain et les jours suivants	Julien, par vanité et orgueil, décide de devenir l'amant de Mme de Rênal. Son plan de séduction l'amène à multiplier les sottises. Une nuit cependant, il se rend dans sa chambre à deux heures du matin et la conquiert. Dans les jours qui suivent, bonheur des deux amants.
Du mardi 3 septembre au jours de la cérémonie, dimanche 8 septembre 1827	Mme de Rênal, à force d'intrigues, a pu obtenir pour Julien une place dans la garde d'honneur à cheval qui reçoit le roi. Il assiste ainsi de près à la cérémonie religieuse d'accueil du roi.

Chapitres	Localisation	Peinture sociale
19 20 21 22 23	Vergy et Verrières	La société des parvenus de Verrières : une soirée chez Valenod, directeur du dépôt de mendicité. Affairisme immobilier à Verrières. Isolement politique et social de M. de Rênal.
24 25 26 27 28 29	Besançon	Le séminaire avec ses clans. L'abbé Pirard, janséniste, directeur du séminaire. Les séminaristes. L'abbé Castanède et le vicaire Frilair, hommes de la Congrégation. Démission de Pirard portée par Julien à l'évêque de Besançon.
30	Paris et Verrières	Le marquis de La Mole, un grand aristocrate.

DEUXIÈME PARTIE

1	Voyage Verrières-Paris	L'atmosphère de la campagne empoisonnée par la vie politicienne.
2	L'Hôtel de La Mole	Présentation de la famille du marquis de La Mole.
3 4 5 6	Paris	Le milieu aristocratique parisien. L'abbé Pirard présente à Julien le milieu janséniste.
7	L'Angleterre	Peinture de la société anglaise. On apprend que Valenod, qui a obtenu le titre de baron, va être nommé maire de Verrières en remplacement de M. de Rênal.

Temporalité	Intrigue
Automne 1827 et une partie de l'hiver (1827-1828)	Retour à Vergy. Le plus jeune fils de Mme de Rênal tombe gravement malade. Remords de sa mère qui y voit une punition divine. Cette attitude suscite chez Julien une passion amoureuse profonde. Élisa, la femme de chambre de Mme de Rênal, avertit M. Valenod de la relation entre sa maîtresse et Julien. Valenod envoie une lettre de dénonciation à M. de Rênal. Contre-attaque pleine de sang-froid de Mme de Rênal qui réussit à convaincre son mari de son innocence. Julien est seulement éloigné quelques jours à Verrières. Devant la persistance des rumeurs, Chélan ordonne à Julien de partir un an au séminaire de Besançon.
Quatorze mois Julien a vingt et un ans (p. 222)	Julien arrive à Besançon et se lie d'amitié avec la caissière d'un café, Amanda Binet. Dès ses premiers contacts au séminaire, Julien déclenche l'hostilité de la plupart de ses condisciples, paysans grossiers et vulgaires, ainsi que du grand vicaire Frilair qui voit en lui le protégé de l'abbé Pirard, directeur du séminaire et ennemi de Frilair. Julien apprend que Mme de Rênal est tombée dans la plus haute dévotion. L'abbé Pirard, obligé de démissionner, obtient une cure près de Paris grâce à la protection du marquis de La Mole.
Quelques jours	Le marquis de La Mole demande à l'abbé Pirard d'être son secrétaire. Ce dernier refuse mais propose Julien. Accord du marquis. Avant de partir pour Paris, Julien pénètre en pleine nuit dans la chambre de Mme de Rênal qui le repousse avant de se jeter dans ses bras. Sur le point d'être surpris par M. de Rênal, Julien saute par la fenêtre, poursuivi par les domestiques qui tirent sur lui.
	Julien Sorel arrive à Paris, il va visiter La Malmaison en souvenir de Napoléon puis se rend chez l'abbé Pirard qui lui présente son emploi et les membres de la famille du marquis de La Mole.
Première journée à Paris	Julien, après un certain nombre de balourdises, réussit lors du premier dîner chez le marquis, à faire bonne figure.
Cinq à six mois	Julien s'initie à la société et fait des progrès. Il gagne malgré quelques « gaucheries » l'estime du marquis par son travail et ses qualités intellectuelles. Première rencontre avec Mathilde de La Mole qui surprend une conversaiton de Julien. Duel burlesque de Julien avec le chevalier de Beauvoisis.
Un peu plus de deux mois	Ascension de Julien auprès du marquis qui lui accorde de nombreuses faveurs.

Chapitres	Localisation	Peinture sociale
8-20	Paris	Bal de la société aristocratique chez M. de Retz. La noblesse des salons. Succès d'*Hernani*. Un aristocrate conspirateur, le comte Altamira.
21-22	Paris	Un complot aristocratique.
23-24	Strasbourg	La maréchale de Fervaques.
25-34	Paris Strasbourg	Peinture d'un salon jésuite, celui de la maréchale de Fervaques.
35	Strasbourg Paris Verrières	
36	Verrières puis Besançon	
37-45	Besançon	L'abbé Frilair et ses ambitions. Valenod nommé préfet. Un tribunal de notables.

Temporalité	Intrigue
Février 1830 30 avril 1830 (p. 303) « À moins d'un mois de là » (p. 307)	Mathilde de La Mole, jeune fille romanesque de dix-neuf ans, s'ennuie au milieu des jeunes aristocrates qui lui font la cour. Attirée peu à peu par l'originalité de Julien, elle décide d'en tomber amoureuse. Méfiance de Julien qui croit à un complot. Après une déclaration d'amour écrite, Mathilde lui fixe un rendez-vous dans sa chambre. Conquête de Mathilde. La déception est mutuelle. La relation tumultueuse des deux amants va voir alterner les brouilles et les moments de haine avec les raccommodements. Après une nouvelle nuit d'amour, Mathilde déclare à Julien qu'elle ne l'aime plus.
Une journée	Julien est chargé par le marquis de La Mole de rédiger le procès-verbal d'une réunion secrète.
Douze jours	Voyage de Julien à Strasbourg pour le compte du marquis. Durant son séjour, il fait la connaissance du prince Korassof qui lui donne des conseils pour reconquérir Mathilde. Julien décide donc de faire la cour à la maréchale de Fervaques pour provoquer la jalousie de Mathilde.
Deux mois et demi Julien a vingt-deux ans (p. 415)	Le plan de Julien réussit. Mathilde, gagnée par la jalousie, cède à son amour et se jette aux pieds de Julien qui, résistant à sa passion, continuer à jouer la froideur. Mathilde écrit à son père pour lui annoncer qu'elle est enceinte. Fureur du marquis et fuite de Julien. Au bout de six semaines le marquis finit par consentir au mariage. Il obtient pour Julien un brevet de lieutenant de hussards au régiment de Strasbourg et le titre de chevalier de La Vernaye. Triomphe de Julien.
Deux jours	Coup de théâtre : Julien est rappelé de Strasbourg par une lettre de Mathilde. Il apprend que Mme de Rênal a écrit au marquis de La Mole une lettre le présentant comme un arriviste et un séducteur. Départ immédiat de Julien pour Verrières, il tire dans l'église deux coups de pistolet sur Mme de Rênal.
Moins de quinze jours depuis la lettre de Mme de Rênal (p. 451)	Julien est conduit à la prison de Verrières puis transféré à celle de Besançon. On apprend que Mme de Rênal a été seulement blessée.
Quatre mois Julien a vingt-trois ans (p. 492)	Visite du curé Chélan et de son ami Fouqué. Mathilde entreprend de nombreuses démarches pour sauver Julien qui, « éperdument amoureux » de Mme de Rênal, se montre de plus en plus indifférent avec elle. Discours de Julien lors de son procès. Il est condamné à mort. Il refuse d'abord de faire appel puis revient sur sa décision après la visite de Mme de Rênal. Visite pénible de Sorel père et visites heureuses de Mme de Rênal. Exécution de Julien. Mme de Rênal meurt trois jours après lui.

4 La peinture sociale ou la « Chronique de 1830 »

LA TRAGÉDIE DE LA JEUNESSE SOUS LA RESTAURATION

Le sous-titre du roman : « Chronique de 1830 » montre l'objectif de Stendhal : son roman est plus que l'histoire d'un fait divers, c'est la peinture minutieuse d'une époque, qui s'appuie sur de « petits faits vrais » relatés à la manière des chroniqueurs du Moyen Âge.

Dans *Le Rouge et le Noir*, Julien Sorel fait figure d'une espèce de sauvage comparable à l'Ingénu de Voltaire transposé dans la France du XIXe siècle. Il va parcourir la société et en découvrir — souvent naïvement — les structures et les mécanismes, réalités sordides derrière des apparences brillantes.

La confrontation du héros avec le monde, son apprentissage puis sa désillusion, ne sont pas des cas fortuits. Ils reflètent l'expérience de toute une partie de la jeunesse française de l'époque et rejoignent les témoignages apportés par nombre de grands écrivains du temps (Musset : *La Confession d'un enfant du siècle*, Vigny : le premier chapitre de *Servitude et Grandeur militaires*, Balzac : *Le Père Goriot, Les Illusions perdues* et d'autres romans encore) sur une génération conçue « entre deux batailles[1] » et qui a grandi pendant les guerres napoléoniennes.

« Les maîtres ne cessaient de nous lire les bulletins de la Grande Armée, et nos cris de "Vive l'Empereur !" interrompaient Tacite et Platon. Nos précepteurs ressemblaient à des hérauts d'armes, nos salles d'études à des

1. Musset, *La Confession d'un enfant du siècle* (chap. 2).

casernes[1]... » Or, lorsque ces adolescents espèrent enfin participer à la grande épopée, ils apprennent la défaite, l'occupation étrangère, le retour des Bourbons.

« Un sentiment de malaise inexprimable commença donc de fermenter dans tous ces jeunes cœurs. Condamnés au repos par les souverains du monde, livrés aux cuistres de toute espèce, à l'oisiveté et à l'ennui, les jeunes gens voyaient se retirer d'eux les vagues écumantes contre lesquelles ils avaient préparé leurs bras[2]. »

Que leur propose-t-on en compensation ?

« Quand les enfants parlaient de gloire, on leur disait : "Faites-vous prêtres" ; quand ils parlaient d'ambition : "Faites-vous prêtres" ; d'espérance, d'amour, de force, de vie : "Faites-vous prêtres"[2] ! » Désormais les grandes actions et, avec elles, les possibilités d'ascension facile, manquent : les jeunes ne trouvent plus leur place dans une société fermée où l'on ne leur offre guère, s'ils sont d'origine modeste, que des emplois subalternes. Il n'y a plus de perspectives de fortune rapide pour les jeunes provinciaux qui montent à Paris se couvrir de gloire, qu'ils s'appellent Rubempré ou Rastignac : difficultés matérielles, ennui, atmosphère étouffante, tout est fait pour les rebuter dans une société qui refuse les idées neuves, qui ne connaît que la valeur des titres nobiliaires et plus encore celle de l'argent. Ils sont écartés aussi de la vie politique par les conditions d'âge et de cens[3]. La France de la Restauration est une véritable gérontocratie. *Le Journal des Débats* du 30 octobre 1826 traduit bien cette mise à l'écart de la jeunesse : « Elle croît dans la disgrâce, elle mûrit dans l'exil. »

La jeunesse comme menace

Pourquoi une telle exclusion ? Pour le pouvoir en place, ces nouveaux venus représentent la menace d'un retour à

1. Vigny, *Servitude et Grandeur militaires* (chap. 1).
2. Musset, *La Confession d'un enfant du siècle* (chap. 1).
3. À cette époque, une somme d'imposition minimale était exigée pour être électeur ou éligible.

la tourmente révolutionnaire. Mme de Rênal est étonnée par les paroles de Julien, « parce que les hommes de sa société répétaient que le retour de Robespierre était surtout possible à cause de ces jeunes gens des basses classes, trop bien élevés » (p. 105). Le marquis de La Mole désigne précisément l'ennemi lorsqu'il appelle les royalistes extrémistes — les ultras — à se mobiliser : « Il faut enfin qu'il y ait en France deux partis, reprit M. de La Mole, mais deux partis [...] bien nets, bien tranchés. Sachons qui il faut écraser. D'un côté les journalistes, les électeurs, l'opinion, en un mot, la jeunesse et tout ce qui l'admire. Pendant qu'elle s'étourdit du bruit de ses vaines paroles, nous, nous avons l'avantage certain de consommer le budget » (p. 379).

Lors de son procès, Julien rattachera enfin son cas à celui de tous ces jeunes bourgeois. Tout le livre va être un apprentissage qui l'amène de la naïveté et de l'aveuglement à la désillusion et à la lucidité.

C'est à travers les yeux du héros que l'on découvre la société de 1830. Les trois cadres de l'action choisis par Stendhal ne sont pas arbitraires. Les milieux de Verrières, de Besançon et de Paris permettent de peindre les forces qui s'affrontent alors, la noblesse, le clergé, la bourgeoisie industrielle, la jeunesse petite-bourgeoise. (Jamais la classe ouvrière n'apparaît en tant que telle dans *Le Rouge et le Noir*.)

LA SOCIÉTÉ VUE PAR JULIEN SOREL

Verrières, une ville de province typique

Sur la petite ville de province pèse la tyrannie des deux forces qui ont repris le pouvoir après la chute de Napoléon : l'aristocratie et le clergé. Verrières, « une petite ville » (c'est le titre du premier chapitre), est un bon exemple du climat moral de la province où l'argent constitue l'unique préoccupation des habitants : « Voilà le grand mot qui décide de tout à Verrières : RAPPORTER DU REVENU. À lui seul il représente la pensée habituelle de plus des trois quarts des habitants » (p. 24).

« La mutilation périodique » des beaux arbres de la commune « impitoyablement amputés », arbres qui « ne demanderaient pas mieux que d'avoir ces formes magnifiques qu'on leur voit en Angleterre » (p. 23), est symbolique : rien de généreux, de vigoureux, de noble ne peut se développer à Verrières. Cette amputation symbolise le refus de toute « innovation », la « tyrannie de l'opinion », l'« ennuyeux despotisme » de la petite ville de province. La politique elle-même s'y réduit à de mesquines intrigues. En effet, les grands problèmes sont discutés ailleurs, les notables locaux n'ont pas vraiment prise sur les rouages de la décision.

Quelles sont les forces en présence dans ces conflits locaux ? Ce sont les mêmes que sur le plan national, c'est-à-dire les ultras et les libéraux. Les ultras (abréviation d'ultra-royalistes) représentent la tendance royaliste la plus extrémiste, plus royaliste même que le roi puisqu'ils refusent l'idée d'une Constitution écrite (la Charte) et veulent un retour pur et simple à l'Ancien Régime. Ils s'appuient essentiellement sur les aristocrates et certains grands bourgeois.

En face, les libéraux. Sous cette dénomination, on trouve aussi bien des royalistes parlementaires que des républicains modérés. Ils sont pour une monarchie constitutionnelle (cf. leur journal *Le Constitutionnel*) et acceptent de nombreux acquis de la Révolution et de l'Empire. Leurs partisans se recrutent parmi la bourgeoisie riche et cultivée, les professions libérales, les universitaires et la petite-bourgeoisie.

Pour Stendhal, libéral lui-même, ces oppositions sont cependant superficielles et servent de moyens aux ambitions des notables. Dans le chapitre premier du livre second (p. 236), il résume ainsi cette opposition : « Toujours l'ambition de devenir député, la gloire et les centaines de mille francs gagnés par Mirabeau empêcheront de dormir les gens riches de la province : ils appelleront cela être libéral et aimer le peuple. Toujours l'envie de devenir pair ou gentilhomme de la Chambre galopera les ultras. Sur le vaisseau de l'État, tout le monde voudra s'occuper de la manœuvre, car elle est bien payée. »

À la fin du livre, M. de Rênal, remplacé par Valenod à la tête de la mairie, devient le candidat des libéraux, ce qui illustre la dérision des luttes politiques.

Cependant Stendhal ne renvoie pas les deux partis dos à dos. Le danger principal derrière l'autorité en place, le maire ultra M. de Rênal, est l'instauration d'une véritable « dictature cléricale » de la Congrégation, que Stendhal assimile aux jésuites.

La Congrégation, que l'on voit intriguer à travers tout le roman, n'est pas une invention de l'auteur. Il existait une confrérie, société secrète réactionnaire, dont le véritable nom était l'Ordre des chevaliers de la foi mais que l'on appelait communément la Congrégation. Dans le roman, cette institution toute-puissante en province distribue les places, fait et brise les carrières. Elle crée une atmosphère irrespirable (lettres anonymes, commérages des domestiques, espionnage, peur du qu'en-dira-t-on, crainte de se montrer chez le libraire taxé de libéralisme) pour tous ceux qui ont quelque valeur : « Malheur à qui se distingue ! » (p. 156). Ils sont révoqués ou décident de fuir cet « enfer d'hypocrisie et de tracasseries » (p. 237).

La Congrégation gouverne surtout les femmes par l'éducation et la confession. Mme de Rênal, « élevée chez des religieuses adoratrices passionnées du *Sacré-Cœur de Jésus*, et animées d'une haine violente pour les Français ennemis des jésuites » (p. 51), retombe sous la coupe des jésuites sous l'influence de son confesseur. Il l'oblige à recopier la lettre qu'il a composée pour perdre Julien auprès du marquis de La Mole. À la fin du livre, enfin libérée de son influence, elle confie à Julien : « Quelle horreur m'a fait commettre la religion ! [...] et encore j'ai adouci les passages les plus affreux de cette lettre » (p. 483).

Quant aux hommes, ils sont obligés de financer la Congrégation, qui va jusqu'à afficher les dons de chacun. M. de Rênal, qui se montre peu généreux, en subira les conséquences. « Le clergé ne badine pas sur cet article » (p. 156). Stendhal évoque aussi les réunions mystérieuses de la Congrégation dans une ancienne grange ; là, tous les derniers vendredis du mois, se retrouvent les hommes de Verrières qui en font partie et, quel que soit le rang social, tout le monde se tutoie. Mme de Rênal confie cyniquement à Julien : « Nous payons vingt francs par domestique afin qu'un jour ils ne nous égorgent pas » (p.107).

À la fin du roman, la Congrégation a fini de tisser sa toile. Elle a totalement éliminé les jansénistes[1] (le curé Chélan, l'abbé Pirard), faction ennemie des jésuites et installé ses hommes à tous les échelons : le vicaire Maslon, l'abbé Frilair (le futur évêque), l'abbé Castanède, Valenod, maire et futur préfet.

Besançon : la vie au séminaire

Après la peinture de la dictature de l'Église, on découvre avec Julien les centres où elle instruit ses prêtres. Le séminaire de Besançon est bien l'école par excellence de l'hypocrisie, de la méchanceté, de l'arrivisme et de la division. Être prêtre devient un métier, une situation pour des fils de paysans pauvres et ambitieux. Le séminaire est, comme le dit Maurice Bardèche[2], « une école du parti » qui fournit « au pouvoir des agents d'une docilité absolue ».

C'est là qu'on apprend aux élèves une hypocrisie constante : « Me voici enfin dans le monde, tel que je le trouverai jusqu'à la fin de mon rôle, entouré de vrais ennemis. Quelle immense difficulté, ajoutait-il, que cette hypocrisie de chaque minute ! c'est à faire pâlir les travaux d'Hercule », (p. 187).

À Besançon, en dehors de l'évêque, « vieillard aimable [...] qui regardait Besançon comme un exil », et du direc-

---

1. Le jansénisme est une doctrine religieuse du XVIIe siècle condamnée par le pape pour son rigorisme excessif, et persécutée par la monarchie. Aux XVIIIe et XIXe siècles, cette tendance survit comme courant d'opinion opposé à l'autorité absolue du pape et de la monarchie. Elle finit par rejoindre le courant humaniste et libéral.
2. M. Bardèche, *Stendhal romancier*, (La Table Ronde, 1947, pp. 188-191).

teur du séminaire, l'abbé Pirard, janséniste et ami du curé Chélan, tous les hommes en place appartiennent à la Congrégation : l'abbé Frilair, grand vicaire, qui a profité de son poste pour faire fortune ; l'abbé Castanède, sous-directeur du séminaire, qui finit par supplanter l'abbé Pirard. Ce dernier se voit obligé d'abandonner son poste et, conscient que Julien va être persécuté après son départ, lui trouve une situation à Paris chez M. de La Mole.

Paris, « centre de l'intrigue et de l'hypocrisie »

À peine arrivé, Julien est aussitôt introduit dans les salons de la grande aristocratie (La Mole, Fervaques, Retz), mais une fois encore, la réalité qu'il va découvrir est loin d'être enthousiasmante. La capitale est le lieu par excellence des intrigues et des faveurs : la maréchale de Fervaques fait miroiter une nomination d'évêque à l'abbé Frilair ; Julien obtient des postes lucratifs pour son père et un autre habitant de Verrières. Il n'est donc pas étonnant de voir affluer à Paris les intrigants et les ambitieux comme Valenod. L'ennui, la contrainte et la convention règnent en maîtres. Les jeunes aristocrates ne sont plus que des dandys, des fantoches sans énergie et sans avenir dont les conversations se réduisent à des potins de Cour, à des pointes ironiques contre les subalternes, des « nigauds à tranche dorée », pense Mathilde (p. 285). Les soirées de ces salons représentent la cérémonie, la comédie que la vieille aristocratie s'offre à elle-même pour croire encore à sa grandeur. Quel contraste pourtant avec les salons du XVIIIe siècle ! Le comte Altamira, grand aristocrate d'une très haute famille napolitaine, seul personnage authentique, dévoile à Julien son opinion : « On hait la pensée dans vos salons. Il faut qu'elle ne s'élève pas au-dessus de la pointe d'un couplet de vaudeville : alors on la récompense [...]. Tout ce qui vaut quelque chose, chez vous, par l'esprit, la Congrégation le jette à la police correctionnelle ; et la bonne compagnie applaudit. C'est que votre société vieillie prise avant tout les convenances » (pp. 298-299).

Là, comme à Verrières, on intrigue, et ces machinations se veulent de la haute politique. Les ultras, effrayés par l'agitation de la jeunesse petite-bourgeoise, complotent ; mais les personnages qui défilent devant Julien sont souvent grotesques et le marquis de La Mole en a presque honte. Pressentant les journées révolutionnaires de 1830, il ne voit d'ailleurs plus de recours que dans l'intervention d'une puissance étrangère pour sauver Charles X (c'est l'objet de la mission qu'il confie à Julien). On est donc bien en présence d'une société inauthentique imbue de ses privilèges, mais ne croyant plus en elle-même. Dans la France de 1830, quelles sont les perspectives d'avenir pour un Julien Sorel ?

LES JEUNES FACE À CETTE SOCIÉTÉ

Il apparaît d'abord que cette jeunesse, que les ultras représentent comme un parti unifié, ne constitue pas en réalité un groupe homogène et n'a pas en conséquence une claire conscience de sa solidarité. Tout, d'ailleurs, dans la société, tend à diviser les jeunes, les amène à rivaliser, à se disputer les places ; Vautrin, s'adressant à Rastignac dans *Le Père Goriot* de Balzac (1835), peint cette situation :

« Une rapide fortune est le problème que se proposent de résoudre en ce moment 50 000 jeunes gens qui se trouvent tous dans votre position. Vous êtes une unité de ce nombre-là. Jugez des efforts que vous avez à faire et de l'acharnement au combat. Il faut vous manger les uns les autres comme des araignées dans un pot, attendu qu'il n'y a pas 50 000 places [...]. Il faut entrer dans cette masse d'hommes comme un boulet de canon ou s'y glisser comme une peste, l'honnêteté ne sert à rien. »

L'abstention ou la résignation

Certains refusent de se « salir les mains », d'user de moyens qu'ils réprouvent. Ce ne sont cependant pas des révolutionnaires (la perspective est absente du *Rouge et le Noir,* et « toute cette jeunesse qui fait des articles incendiaires dans *Le Globe* » (p. 379) ne semble pas exister pour le héros).

Fouqué, l'ami d'enfance de Julien, symbolise cette attitude, tout comme Séchard, l'ami de Lucien de Rubempré dans *Les Illusions perdues*. C'est un petit-bourgeois jacobin, c'est-à-dire républicain, « esprit sage » (p. 219), voulant garder son indépendance, qui vit retiré dans les montagnes. La médiocrité bourgeoise lui épargne au moins l'hypocrisie. Il met Julien en garde contre les tentations de l'ambition ; mais ce dernier n'y voit que « la petitesse d'esprit d'un bourgeois de campagne » (p. 219). Julien sera fort surpris, à la fin du roman, de découvrir la générosité et le dévouement de Fouqué, prêt à tout sacrifier pour le sauver. Géronimo, l'artiste, représente, lui, une solution à part : une vie en marge, dans le monde de la musique ; une vie de dilettante, dans l'instant et sans perspective.

Les arrivistes

Ils reprennent à leur compte les mots d'ordre des gens en place : privilèges et jouissances. Acceptant facilement d'abandonner tout idéal, ils ont recours aux pires compromissions pour réussir. Ils jouent le jeu que Vautrin décrit à Rastignac : chacun pour soi et tous les moyens sont bons.

Ce sont les séminaristes de Besançon et les arrivistes parisiens (Tanbeau). Les premiers sont prêts à tout accepter, même de devenir des monstres, même d'abdiquer toute pensée personnelle.

« Des gloutons qui ne songent qu'à l'omelette au lard qu'ils dévoreront au dîner, ou des abbés Castanède, pour qui aucun crime n'est trop noir ! Ils parviendront au pouvoir ; mais à quel prix, grand Dieu ! » (p. 192).

Julien les méprise comme il méprisera à Paris le petit Tanbeau. Mais que veut-il au juste et au nom de quoi critique-t-il les autres arrivistes ?

Julien Sorel ou l'ambiguïté

Physiquement, Julien est un héros romantique. Stendhal n'en fait pas un portrait physique systématique, mais insiste sur sa séduction. « Mme de Rênal fut frappée de l'extrême beauté de Julien » (p. 43). Amanda Binet, la serveuse du café de Besançon, remarque aussi « la charmante figure de ce jeune bourgeois » (p. 170).

Psychologiquement, en revanche, il ne correspond à aucun stéréotype et peu de héros de romans ont été interprétés plus diversement. Julien est-il un arriviste, un hypocrite, un révolté, un calculateur froid ou un homme excessivement sensible ? L'erreur serait de considérer Julien comme un caractère déjà fait, et de vouloir unifier ses conduites successives. On est en présence d'un tout jeune homme (dix-neuf ans au début du roman et seulement vingt-trois ans au moment de son exécution), qui va évoluer, se faire progressivement sous nos yeux au cours de ce roman d'apprentissage et d'éducation.

Tout au long du roman, Julien se forme grâce aux leçons du vieux chirurgien-major, du curé Chélan, de Mme de Rênal, de M. de La Mole, etc. Il est en constante évolution et ne sait plus lui-même ce qu'il est. Il fait preuve d'une absence complète de clairvoyance et son itinéraire va justement l'amener de la confusion consciente ou inconsciente sur lui-même à la clarification et à l'authenticité.

• Un petit-bourgeois qui se croit plébéien

Le flou du personnage, ses illusions apparaissent déjà dans les termes qu'il emploie pour se caractériser : « plébéien », « fils de paysan », « fils de charpentier », « fils d'ouvrier », « domestique », « ouvrier », « paysan », sont utilisés indifféremment. En réalité, Julien est un jeune homme dont son éducation a fait, comme le lui dit l'abbé Pirard, « un petit-bourgeois » (p. 241). Ce sont en effet les leçons du vieux chirurgien-major et du curé Chélan qui le rendent différent de ses frères.

À Paris, tout en servant le marquis, il continue d'étudier régulièrement à l'école de théologie (II, 5). Il suffit encore de rappeler le rôle des livres chez cet intellectuel (la scène symbolique où Julien apparaît pour la première fois, plongé dans la lecture du *Mémorial de Sainte-Hélène* ; les péripéties de l'abonnement chez le libraire de Verrières, ses lectures secrètes au séminaire ; la soirée chez l'archevêque et le don des livres de Tacite, ses séjours dans « la librairie » du marquis). Cette éducation l'isole de tous les autres habitants de la petite ville – qui le considèrent comme une « bête curieuse » –, elle le marginalise et le singularise des séminaristes, fils de paysans. Cette première erreur d'appréciation de Julien sur lui-même, confirmée d'ailleurs par les aristocrates pleins de mépris, aura des conséquences, car il s'imagine appartenir à une classe qui n'est pas la sienne ; et, dans ce mythe du plébéien, il pense trouver contre la compromission et le « passage de l'autre côté de la barrière », des garanties qu'il n'a pas en réalité. Il agit à partir d'une illusion entretenue par les autres mais aussi par lui-même.

- **Un ingénu qui se croit hypocrite**

Julien a choisi comme moyen de réussite une arme qui correspond peu à ses capacités et surtout à sa nature. En effet, ce personnage qui se veut fin diplomate, au courant des règles du monde et froid calculateur, se révèle le plus souvent étourdi, ignorant et ingénu, impulsif et d'une sensibilité excessive : « Il avait été trahi par une foule de petites actions » (p. 186).

Julien est un vrai sauvage au début du roman ; son arrivée chez Mme de Rênal rappelle celle de J.-J. Rousseau chez Mme de Warens. Il trahit au moins deux fois sa passion pour Napoléon. Au séminaire, il multiplie les maladresses, s'attirant l'inimitié de tous et gagnant le surnom de « Martin Luther » (« Il ne soignait pas les détails et les habiles au séminaire ne regardent qu'au détail », p. 186).

Son arrivée à Paris fait penser à l'attitude de l'Ingénu de Voltaire. Il commet de nombreuses bévues, incidents tragicomiques qui déclenchent le rire de ses hôtes : la scène du tailleur (II, 2), ses mésaventures équestres (II, 3), ses fautes d'orthographe (II, 2), son duel burlesque avec le chevalier de Beauvoisis (II, 6). « Si tout semblait étrange à Julien, dans le noble salon de l'hôtel de La Mole, ce jeune homme, pâle et vêtu de noir, semblait à son tour fort singulier aux personnes qui daignaient le remarquer. Mme de La Mole proposa à son mari de l'envoyer en mission les jours où l'on avait à dîner certains personnages » (p. 256).

D'autre part, ce prétendu froid calculateur a vite les larmes aux yeux, comme en témoignent ses effusions de sensibilité avec l'abbé Pirard ou avec le marquis et son indignation lors du dîner chez Valenod. Il ressemble beaucoup plus à un héros romantique, sans cesse tendu et mû par ses nerfs (crises de rage, pleurs), qu'aux froids roués des *Liaisons dangereuses* de Laclos. Il ne trompe finalement personne, ni le simple curé Chélan, ni les séminaristes, ni Fouqué. Comme le lui dit l'abbé Pirard : « Je vois en toi quelque chose qui offense le vulgaire. La jalousie et la calomnie te poursuivront. En quelque lieu que la Providence te place, tes compagnons ne te verront jamais sans te haïr » (p. 203). Enfin, Julien ne sait pas suffisamment s'oublier pour jouer un rôle ; ce constant sentiment du devoir envers lui-même l'amène à des décisions souvent heureuses mais qu'il n'aurait pas dû prendre s'il avait voulu rester fidèle à son rôle (toutes les obligations qu'il s'impose avec Mme de Rênal).

D'ailleurs, il n'a pas vraiment de plan à long terme. Chaque fois qu'il doit entreprendre une démarche nouvelle, il s'inspire d'autrui. Il n'a aucun don naturel pour la dissimulation. Ses modèles successifs sont J.-J. Rousseau (*La Nouvelle Héloïse*), les lettres de Korasoff, le personnage de Tartuffe dont il connaît les tirades par cœur. Mais, placé dans une telle situation, il joue son rôle avec réticence et sans aucun enthousiasme (son aventure avec la maréchale de Fervaques, sérieusement poursuivie, pouvait le mener à la fortune). Son hypocrisie lui est tellement insupportable qu'à chaque occasion, il doit se fournir des excuses d'employer un tel procédé : « Hélas ! c'est ma seule arme ! à une autre époque, se disait-il, c'est par des actions parlantes en face de l'ennemi que j'aurais *gagné mon pain* » (p. 183). Ces réflexions de Julien, lors de son séjour au séminaire, sont ainsi jugées par Stendhal : « Égaré par toute la présomption d'un homme à imagination, il prenait ses intentions pour des faits, et se croyait un hypocrite consommé. Sa folie allait jusqu'à se reprocher ses succès dans cet art de la faiblesse » (p. 183). Ce commentaire pourrait être généralisé à la conduite de Julien pendant presque tout le roman.

Selon Stendhal, « l'hypocrisie, pour être utile, doit se cacher » (p. 306) ; or Julien se livre à tout moment : « Julien était las de se mépriser. Par orgueil, il dit franchement sa pensée » (p. 307).

Dès lors, on comprend son indignation devant les vrais hypocrites. Quand il se trouvera placé dans une situation où l'hypocrisie serait la seule arme qui pourrait le sauver, il révélera son incapacité profonde à l'utiliser et précipitera ainsi son échec.

• Un révolté qui devient ambitieux

Le personnage est également ambigu par les objectifs qu'il se fixe dans la société. Que recherche-t-il exactement ?

Son éducation a fait de lui un intellectuel petit-bourgeois souffrant de sa singularité, du décalage entre sa « valeur » et la place qui lui est réservée dans la société. Il compense justement cette humiliation en fuyant, dans le monde chimérique des livres et des mythes, la réalité médiocre de Verrières. C'est à l'occasion de ces lectures qu'il échafaude « tous les rêves héroïques de sa jeunesse » (p. 87), qu'il s'envole « dans les pays imaginaires » (p. 495), qu'il éprouve une admiration sans bornes pour Napoléon.

Il n'est pas étonnant qu'à partir de là, il refuse globalement les perspectives qui lui sont offertes. Pour lui, réussir, ce n'est pas accepter les fausses valeurs de la société de Verrières ; réussir, c'est échapper à une situation humiliante de dépendance : « Pour Julien, faire fortune, c'était d'abord sortir de Verrières ; il abhorrait sa patrie. Tout ce qu'il y voyait glaçait son imagination » (p. 39). Le poste de précepteur obtenu chez M. de Rênal ne fait qu'exacerber sa fierté.

Les affronts qu'il doit endurer développent sa haine pour les nobles et les bourgeois. Au sujet d'une de ces scènes, Stendhal commente : « Ce sont sans doute de tels moments d'humiliation qui ont fait les Robespierre » (p. 70). Donc, chez lui, la réussite doit être une *revanche* sociale, un moyen de sortir de son état ; il considère les riches, les gens en place, comme des *ennemis* à combattre, non comme des gens à envier, non comme des modèles à tteindre. Ce qu'il veut, c'est la démonstration de sa supériorité. Cela explique qu'il écarte toutes les possibilités de fortune qui ne prouveraient pas sa « vertu » : les propositions de Fouqué, la cure de l'abbé Pirard, le mariage et les millions de Korasoff : « Je n'épouserai pas les millions que m'offre Korasoff » (p. 394). Un Rastignac, lui, les aurait acceptés.

Il refuse aussi le modèle de vie présenté par les riches de Verrières : à l'amour exclusif de l'argent et à la vanité, il oppose le culte de l'énergie, le courage, l'exemple des grands héros de la Révolution et de Napoléon, l'estime de soi, le sens du devoir et de l'honneur. Il condamne successivement l'arrivisme de tous ceux qui l'entourent (Valenod, les séminaristes, Tanbeau). À Paris, il n'a aucune stratégie pour réussir ; il n'essaye même pas de se trouver des appuis, de se lier à une coterie comme devrait le faire un ambitieux sans scrupules :

« Ce n'est point l'amour non plus qui se charge de la fortune des jeunes gens doués de quelque talent comme Julien ; ils s'attachent d'une étreinte invincible à une coterie, et quand la coterie fait fortune, toutes les bonnes choses de la société pleuvent sur eux. Malheur à l'homme d'étude qui n'est d'aucune coterie, on lui reprochera jusqu'à de petits succès fort incertains » (pp. 356-357).

Or, à la fin du roman, lorsque Mathilde a avoué à son père ses rapports avec Julien, le marquis a conscience de 'absence d'appui de Julien dans la société, de la fragilité de sa situation : « Julien ne s'est affilié à aucun salon, à aucune coterie. Il ne s'est ménagé aucun appui contre moi, pas la plus petite ressource si je l'abandonne... [...] Non, il n'a pas le génie adroit et cauteleux d'un procureur qui ne perd ni une minute ni une opportunité... » (p. 437). De même Mathilde remarque : « Mon petit Julien [...] n'aime à agir que seul. Jamais [...] la moindre idée de chercher de l'appui et du secours dans les autres ! Il méprise les autres, c'est pour cela que je ne le méprise pas » (p. 314).

Mais comment concilier alors cette attitude avec certaines pensées de Julien qui sont bien celles d'un arriviste ?

Ses réflexions devant l'évêque d'Agde sont particulièrement inquiétantes : « Si jeune, pensait-il, être évêque d'Agde ! mais où est Agde ? Et combien cela rapporte-t-il ? deux ou trois cent mille francs peut-être » (p. 117). Il est hypnotisé par l'élégance de cet évêque : « Plus on s'élève vers le premier rang de la société, se dit Julien, plus on trouve de ces manières charmantes » (pp. 116-117). La condamnation de Julien épargnerait-elle le sommet de la hiérarchie sociale, se limiterait-elle à une condamnation des parvenus et de la bassesse bourgeoise ? Durant tout le roman, on va le voir révéler ainsi une faiblesse que le curé Chélan avait très finement signalée à l'abbé Pirard dans sa lettre de recommandation : « Trop de sensibilité aux vaines grâces de l'extérieur » (p. 180). En effet, en maintes occasions, il se laissera éblouir par les honneurs, le luxe, l'élégance : lors de l'épisode de la garde à cheval qui reçoit le roi en visite à Verrières, « Julien était le plus heureux des hommes [...]. Il était au comble de la joie » (p. 112). Julien manifestera le même enthousiasme au bal de M. de Retz. Il éprouvera « une admiration stupide » (p. 391) pour le prince Korasoff et précédemment pour le chevalier de Beauvoisis ; à la fin du roman, il sera grisé par son titre de lieutenant des hussards et par son bel uniforme. Lors de son séjour en prison, il reconnaîtra cette faiblesse : « Là, comme ailleurs, le mérite simple et modeste a été abandonné pour ce qui est brillant » (p. 477) ; il avouera qu'il a été « dupe des apparences » (p. 489).

N'a-t-il été qu'un vulgaire ambitieux, ivre de gloire, de luxe, de vanité ? Comment admettre en même temps son rôle de plébéien révolté et cette exaltation devant le moindre succès obtenu ? Faut-il lui appliquer le jugement qu'il porte lui-même sur J.-J. Rousseau : « Tout en prêchant la république et le renversement des dignités monarchiques, ce parvenu est ivre de bonheur, si un duc change la direction de sa promenade après dîner pour accompagner un de ses amis » (p. 288) ?

Plus grave est la confusion de pensée qui apparaît dans ses réflexions au bal de Retz : « Julien était au comble du bonheur. Ravi à son insu par la musique, les fleurs, les belles femmes, l'élégance générale, et, plus que tout, par son imagination, qui rêvait *des distinctions pour lui et la liberté pour tout* » (p. 295).

• Un héros qui manque de lucidité

On trouve ici confondus le désir de réussite individuelle et l'aspiration à une société libre, mais ce rêve de conciliation n'est absolument pas explicité. Comment ce modèle de société aristocratique pourrait-il coexister avec l'aspiration d'une liberté pour tous ?

Julien ne résout pas la contradiction, contradiction que Claude Roy décèle chez l'écrivain, « aristocrate de peau » et républicain d'esprit et de cœur : « J'abhorre la canaille [...] en même temps que, sous le nom de *peuple*, je désire passionnément son bonheur[1]. »

Ainsi Julien condamnera-t-il Valenod comme représentant de la bassesse bourgeoise : « Il se trouvait tout aristocrate en ce moment » (p. 150).

Mais en dehors de cette contradiction, plusieurs autres facteurs l'amènent à s'illusionner sur ses objectifs.

En premier lieu, sa faible culture politique qui ne lui vient que du vieux chirurgien-major et de ses lectures. Cette formation lui a donné une vision individualiste de l'histoire qui est faite par des grands hommes, des héros. La Révolution française, pour Julien, ce sont Danton, Robespierre, Bonaparte. La lecture du *Mémorial de Sainte-Hélène* et des ouvrages de Rousseau a dû accentuer cette façon individualiste, élitiste, d'interpréter les événements politiques et sociaux, plus intuitive, émotive et personnelle que scientifique.

On peut en donner pour preuve le mythe bonapartiste du héros. Le grand modèle de Julien est Napoléon ; il essaye constamment d'imaginer Napoléon à sa place et s'efforce d'agir comme, selon lui, Napoléon l'aurait fait dans les mêmes circonstances. À tout moment, cette image vient enjoliver la réalité de sa situation : il transforme toutes ses aventures sous cet aspect mythique [*cf.* son idéalisation du plat défilé de la garde à Verrières : « De ce

---

1. C. Roy, *Stendhal par lui-même,* (Le Seuil, 1951).

moment il se sentit un héros. Il était officier d'ordonnance de Napoléon et chargeait une batterie » (p. 112)]. Ce n'est qu'à la fin du roman qu'il démythifiera son modèle et en découvrira le « charlatanisme » (p. 491). Certes, Julien a saisi de façon purement empirique certaines transformations, par exemple que la carrière militaire n'est plus une voie d'ascension sociale et qu'il vaut mieux s'engager dans l'Église. Il a aussi tiré les leçons de ses premières expériences et a compris que l'hypocrisie, le masque, pouvaient seuls lui permettre de réussir dans la société de la Restauration. Mais, plus profondément, Julien ne parvient pas à prendre conscience de la modification des structures sociales et politiques intervenue depuis Napoléon. Il veut devenir un grand homme dans une société où lui-même a reconnu qu'il n'y avait plus de grands hommes, dans une société de parvenus, d'hypocrites, de fantoches.

Que veulent donc dire « réussir », « se couvrir de gloire », « le théâtre des grandes choses », et autres expressions qu'il emploie ?

Il ne développe jamais concrètement ces termes qui restent dès lors vagues et mythiques. Aucune médiation ne vient s'interposer entre son modèle (Napoléon) et la situation dans laquelle il se trouve. Il ne se rend pas compte que le succès dans la société de 1830 n'a plus du tout la même signification qu'en 1789. Il croit encore que sa réussite sera celle d'un plébéien alors qu'elle ne saurait plus que l'intégrer à la société de ses « ennemis », des « fripons ». En conséquence, il repoussera tous les avertissements du curé Chélan et de son ami Fouqué.

Progressivement, il va pourtant mieux analyser les événements et la voie qu'il a choisie. Une série d'expériences l'éclairent. Son dîner chez Valenod lui suggère ces réflexions : « Voilà donc, se disait la conscience de Julien, la sale fortune à laquelle tu parviendras, et tu n'en jouiras qu'à cette condition et en pareille compagnie ! Tu auras peut-être une place de vingt mille francs, mais il faudra que, pendant que tu te gorges de viandes, tu empêches de chanter le pauvre prisonnier ; tu donneras à dîner avec l'argent que tu auras volé sur sa misérable pitance, et pendant ton dîner il sera encore plus malheureux ! » (p. 148).

Il exprime la même idée devant l'arrivisme des séminaristes : « Ils parviendront au pouvoir ; mais à quel prix, grand Dieu ! » (p. 192).

Mais ce sont là de brefs éclairs de lucidité que Julien ne cherche pas à analyser. À chaque fois, il recourt à la lecture de son héros pour se redonner du courage, pour réveiller « les rêves héroïques de sa jeunesse » (p. 87). Il laisse ainsi les problèmes en suspens, pensant qu'il les résoudra au fur et à mesure, dans l'action. Il maintient un décalage entre ses rêves et son expérience et il se refuse à actualiser ses idées, à remettre en question les mythes entretenus par ses lectures et par des humiliations réelles ou fictives.

- **Un individualiste forcené**

Pourquoi Julien voit-il le danger pour les autres mais ne tient-il pas compte de ces avertissements successifs ? L'explication est encore à chercher dans l'individualisme forcené du personnage. Ne croyant pas à l'importance des masses, il ne tente même pas de participer à un combat collectif, il surestime du même coup le rôle et l'autonomie de l'individu. Comme le dit H.-F. Imbert : « Chez lui l'individu prime la classe[1]. » Tout devient alors une question de caractère ; il place toute sa confiance dans son énergie, dans son originalité pour résister à la friponnerie et faire triompher, à travers lui, un plébéien. Il pense qu'un seul individu peut bouleverser l'état des choses ; s'il était, lui, maire de Verrières, « la justice triompherait » (p. 105). Quelle naïveté chez ce prétendu hypocrite, quelle absence de réalisme ! Lui qui joue au fin politique, prend encore au sérieux les idéaux élevés de la Révolution, alors que, désormais au pouvoir, la bourgeoisie s'est débarrassée de ce qu'elle considère maintenant comme des ornements superflus.

L'échec de Julien est celui de toute une jeunesse, qui vient se briser contre les réalités brutales de la société capitaliste de l'époque ; les valeurs de celle-ci ne sont plus

---

1. Henry-François Imbert, *Les Métamorphoses de la liberté* (Corti, 1967, p. 559).

l'héroïsme « romain » ni les vertus à l'antique exaltées par la Révolution : il n'y a plus de place pour les aventuriers, les « conquérants » solitaires (sinon les capitaines d'industrie). Là encore, comme pour l'hypocrisie, Julien refuse d'aller jusqu'au bout de la logique bourgeoise. Cet ambitieux, qui s'illusionne sur ses projets, qui a refusé de voir la réalité en face et qui est incapable d'être un hypocrite conséquent, préférera précipiter la catastrophe plutôt que de se compromettre dans une aventure incompatible avec l'estime de soi-même. Les échecs de Julien sont bien dus à des erreurs d'appréciation sur sa propre personne et sur le monde.

Pour Stendhal, montrer ainsi à ces jeunes gens « des basses classes trop bien élevés » les illusions à éviter, les mythes à démasquer, les vrais ennemis et les vrais amis, c'est donner une leçon de clairvoyance et donc une possibilité de bonheur. En effet, comme il l'a écrit plusieurs fois : « Presque tous les malheurs de la vie viennent des fausses idées que nous avons sur ce qui nous arrive. Connaître à fond les hommes, juger sainement des événements, est donc un grand pas vers le bonheur[1]. »

---

1. Stendhal, *Journal*, 10 décembre 1801.

5 L'amour dans *Le Rouge et le Noir*

Dans la mesure où l'existence de Julien se définit comme une lutte contre la société, sa vie amoureuse s'inscrit dans ce combat. Mais la condition sociale de Julien, loin de déterminer seulement les sentiments qu'il éprouve, est aussi à la source de ceux qu'il inspire.

AMBIGUÏTÉ DES SENTIMENTS DE JULIEN ENVERS MME DE RÊNAL

Amour et ambition

Au début du roman, le héros est vierge, et si sa « jolie figure » lui a donné « quelques voix amies parmi les jeunes filles » (p. 33), il a méprisé ces succès faciles. Lors de sa première rencontre avec Mme de Rênal, sur le pas de sa maison, il est d'abord « étonné de sa beauté ». Stendhal précise que « c'était une femme grande, bien faite », avec « une grâce naïve, pleine d'innocence et de vivacité ». Mais ce ne sont pas le naturel et la simplicité de Mme de Rênal qui troublent Julien au point de lui faire défaillir la voix. Sa séduction vient de ce qu'outre la beauté, elle possède les charmes raffinés d'une bourgeoise élégante : « La figure de Mme de Rênal était près de la sienne, il sentit le parfum des vêtements d'été d'une femme, *chose si étonnante pour un pauvre paysan*[1] » (p. 43). La séduction féminine est l'apanage des femmes de la « bonne société », indissociable de ce que Stendhal appelle les « instruments de l'artillerie féminine », auxiliaires de beauté, mais plus encore signes d'appartenance

1. Dans cette citation, comme dans celles qui suivent, c'est nous qui soulignons.

à une classe. « Julien admirait avec transport jusqu'aux chapeaux, jusqu'aux robes de Mme de Rênal. Il ne pouvait se rassasier du plaisir de sentir leur parfum » (p. 102). Ainsi la notion de classe est-elle présentée au niveau même de la sensation physique ; l'émotion de Julien n'en est pas moins réelle, ni moins sincère le « transport » qui le porte à baiser la main de Mme de Rênal. Mais par un effet inverse, de même que les ambitions sociales de Julien se mêlaient inconsciemment à son désir, de même, une fois ce désir né, il le rationalise, en l'intégrant à sa grande bataille : « Il y aurait de la lâcheté à moi de ne pas exécuter une action qui peut m'être *utile* » (p. 44), se dit-il pour se donner le courage de baiser cette main. Cette ambiguïté essentielle – désir réel, conscience de classe – régit les rapports de Julien Sorel avec Mme de Rênal pendant toute la première partie du roman, et les empoisonne. Obtenir ses faveurs, ce n'est pas gagner un plaisir, c'est surtout remporter une victoire sociale. D'où le curieux vocabulaire militaire employé, sans préciosité aucune, par Julien.

Amour et amour-propre

Les chapitres 8 et 9 en fournissent un excellent exemple. Julien a heurté par inadvertance la main de Mme de Rênal, qui la retire aussitôt. « Julien pensa qu'il était de son *devoir* d'obtenir que l'on ne retirât pas cette main. »

Serrer cette main n'a donc rien d'une satisfaction sensuelle ou sentimentale, c'est se prouver que le handicap social est surmonté, que l'on n'a pas été méprisé : l'explication que Julien donnerait d'un éventuel échec de sa tentative ne serait pas son manque de séduction mais son infériorité sociale : « L'idée d'un devoir à accomplir, et d'un ridicule ou plutôt d'un *sentiment d'infériorité* à encourir si l'on n'y parvenait pas, éloigna sur-le-champ tout plaisir de son cœur » (p. 65). Ce complexe lui fait interpréter de façon stupide certaines réactions de Mme de Rênal. Ainsi, lorsque après avoir subtilisé le portrait caché par Julien, elle repousse son geste tendre sous l'effet de la jalousie, il ne voit dans son acte qu'un caprice de « femme riche ».

Attentif à tout ce qui peut blesser son amour-propre, il n'essaie pas d'analyser les sentiments de « l'autre », il lui attribue aussitôt comme mobile une réaction de classe. Quand, sous l'empire des remords, Mme de Rênal lui montre une « froideur glaciale », « il se souvint du rang qu'il occupait dans la société, et surtout aux yeux d'une noble et riche héritière » (p. 82). Symétriquement, le sentiment d'avoir gagné une victoire l'engage plus avant dans la voie d'une séduction qui présente le plaisir comme un devoir : « Cette femme ne peut plus me mépriser : dans ce cas, se dit-il, *je dois être sensible à sa beauté* ; je me dois à moi-même d'être son amant » (p. 91). Le rôle de séducteur lui pèse : « Jamais il ne s'était imposé une contrainte plus pénible », et il lui faut faire appel à tout son orgueil pour trouver le courage d'entrer dans la chambre de Mme de Rênal : « Je puis être inexpérimenté et grossier comme il appartient au fils d'un paysan [...] mais du moins je ne serai pas faible » (p. 97). Il part n'ayant « plus rien à désirer » ; mais son rendez-vous a été « une victoire mais non un plaisir ».

Amour et classe sociale

Plus tard, la tension s'affaiblit, il est heureux, mais Stendhal insiste bien sur l'importance pour Julien du rang social de la femme aimée : « Son amour était encore de l'ambition ; c'était de la joie de posséder, lui pauvre être malheureux et si méprisé, une femme aussi noble et aussi belle » (p. 102).

Il y a donc une contradiction tragique dans l'amour de Julien : il aime Mme de Rênal *parce qu'*elle lui est socialement supérieure, et pourtant c'est cette différence de classe sociale qui empêche cet amour d'être complet. « Dans les premiers jours de cette vie nouvelle, il y eut des moments où lui, qui n'avait jamais aimé, qui n'avait jamais été aimé de personne, trouvait un si délicieux plaisir à être sincère, qu'il était sur le point d'avouer à Mme de Rênal l'ambition qui jusqu'alors avait été l'essence même de son existence » : la sincérité parfaite serait un abandon à l'amour « mais un petit événement empêcha toute franchise » (p. 103). Songeant à son état futur, et sous le charme des « moments si doux » qu'il passe auprès de son amie, Julien se lance dans une tirade sur Napoléon, « homme envoyé de Dieu pour les jeunes Français ». La réaction de Mme de Rênal l'arrête net : « Cette façon de penser lui semblait convenir à un domestique » ; « Il se dit : « Elle est bonne et douce, son goût pour moi est vif, mais elle a été élevée dans le camp ennemi » (p. 105). Stendhal intervient directement pour commenter l'incident : « Le bonheur de Julien fut, ce jour-là, sur le point de devenir durable. Il manqua à notre héros d'oser être sincère. Il fallait avoir le courage de livrer bataille, mais *sur-le-champ* » (p. 105). La conscience de classe est plus forte et « Julien n'osa plus rêver avec abandon ». Même au sommet de son amour, lorsqu'il est bouleversé par les sacrifices que Mme de Rênal fait pour lui et qu'il « l'adore », leur liaison lui apparaît comme la conjonction extraordinaire de représentants de classes sociales disparates : « Elle a beau être noble, et moi le fils d'un ouvrier, elle m'aime... » (p. 126).

Bien sûr, les sentiments de Julien ne se bornent pas a des satisfactions d'amour-propre, mais c'est bien parce que son amour est partiellement le fait de son ambition qu'il peut reporter cette ambition sur un autre objet : « Il était fort ému. Mais à une lieue de Verrières, où il laissait tant d'amour, il ne songea plus qu'au bonheur de voir une capitale, une grande ville de guerre comme Besançon » (pp. 167-168). La conscience de classe joue donc un rôle essentiel dans la vie sentimentale de Julien.

NAISSANCE DE Mme DE RÊNAL À L'AMOUR

Lors de leur première rencontre, le contraste entre l'aspect de Julien et celui du vieil abbé crasseux qu'elle attendait est tel qu'il annihile le sens des convenances : « Ils étaient fort près l'un de l'autre à se regarder », et c'est seulement lorsqu'elle est revenue de sa surprise que

Mme de Rênal « fut étonnée de se trouver ainsi à la porte de sa maison avec ce jeune homme presque *en chemise* et si près de lui » (p. 43). Égal social de Mme de Rênal, Julien eût porté l'habit et la redingote, et peut-être Stendhal n'eût-il pas écrit que « de sa vie une sensation purement agréable n'avait aussi profondément ému Mme de Rênal ». Il est précisé plus loin qu'elle se figure tous les hommes sur le modèle de son mari, de M. Valenod et du sous-préfet de Maugiron : « La grossièreté, et la plus brutale insensibilité à tout ce qui n'était pas intérêt d'argent, de préséance ou de croix ; la haine aveugle pour tout raisonnement qui les contrariait, lui parurent des choses naturelles à ce sexe, comme porter des bottes et un chapeau de feutre » (pp. 51-52). Julien lui apparaît comme doublement étranger au monde des hommes qu'elle connaît, par sa jeunesse et par son origine sociale.

Quoiqu'elle ait été « frappée de l'extrême beauté de Julien », elle ne s'en effraie pas, parce que l'idée d'amour est en dehors du champ de sa conscience. L'infériorité sociale de Julien souligne sa jeunesse, rassure la timidité de Mme de Rênal, et permet à son amour de naître inconsciemment sous le nom fictif de tendresse maternelle : « Il y avait des jours où elle avait l'illusion de l'aimer comme son enfant. Sans cesse n'avait-elle pas à répondre à ses questions naïves sur mille choses simples qu'un enfant bien né n'ignore pas à quinze ans ? » (p.108). Julien est d'autant plus stupide de craindre le mépris de son amie que leur différence de classe sert leur amour : « C'était précisément comme *jeune ouvrier*, rougissant jusqu'au blanc des yeux, arrêté à la porte de la maison et n'osant sonner, que Mme de Rênal se le figurait avec le plus de charme » (p. 91). Tout en faisant son éducation, en l'initiant aux rouages de la société, Mme de Rênal admire Julien, et naïvement prisonnière des conceptions de sa classe, rêve même de le gagner à la bonne cause : « Elle le voyait pape, elle le voyait premier ministre comme Richelieu. – Vivrai-je assez pour te voir dans ta gloire ? disait-elle à Julien, la place est faite pour un grand homme ; la monarchie, la religion en ont besoin » (p. 108). Mais l'humble origine de Julien n'a fait que favoriser la naissance de l'amour chez Mme de Rênal. La tendresse protectrice devient une passion absolue, et arrache complètement Mme de Rênal à la morale de sa classe.

LA CONQUÊTE DE MATHILDE, TRIOMPHE SOCIAL

Contrairement à la rencontre de Julien et de Mme de Rênal, riche d'émotions et de sensations qui préludent à leur liaison, la première entrevue de Julien et de Mathilde de La Mole est parfaitement froide : « Il aperçut une jeune personne, extrêmement blonde et fort bien faite, qui vint s'asseoir vis-à-vis de lui. Elle ne lui plut point » (p. 250), impression confirmée quelques chapitres plus loin : « Que cette grande fille me déplaît ! » (p. 285). Air masculin, hautain, regard froid, voix sèche et mordante, toute la personne de Mathilde proclame sa supériorité sociale, et glace Julien. Au bal du duc de Retz, entendant des compliments dithyrambiques sur la « reine du bal », il s'étonne que Mathilde soit aux yeux des autres une beauté séduisante, et décide de revenir sur son impression spontanée : « Puisqu'elle passe pour si remarquable aux yeux de ces poupées, elle vaut la peine que je l'étudie » (p. 287). C'est donc par la réflexion qu'il se convainc du charme de Mathilde ; et plus tard, leurs relations amoureuses lui donnent surtout des jouissances de vanité : « Cet amour n'était fondé que sur la rare beauté de Mathilde, ou plutôt sur ses façons de reine et sa toilette admirable. En cela Julien était encore un *parvenu* » (p. 319). Seul le rang social de Mathilde pousse Julien à cette liaison, qu'il voit dès le début comme un « commerce armé ». Se souvenant d'un mot du duc de Chaulnes qui le classe parmi les « domestiques », il se dit « avec des regards de tigre » : « Eh bien, elle est jolie [...]. Je l'aurai, je m'en irai ensuite, et malheur à qui me troublera dans ma fuite ! » (p. 309).

Le « plébéien révolté » engage la bataille avec la jeune aristocrate : d'où la fréquence comique des métaphores militaires dans le discours intérieur de Julien lorsqu'il pense à Mathilde. « Dans la bataille qui se prépare [...], l'orgueil de la naissance sera comme une colline élevée, formant position militaire entre elle et moi. C'est là-dessus qu'il faut manœuvrer » (p. 330). « Il se compara à un général qui vient de gagner à demi une grande bataille » (p. 420), et il se jette dans la lecture du *Mémorial de Sainte-Hélène*, pour se guider dans sa vie amoureuse ! Lorsque, craignant un traquenard, il fait copier la lettre de rendez-vous de Mathilde, il s'écrie : « Aux armes. » Il est « l'homme malheureux en guerre avec toute la société », et cette société s'incarne en Mathilde de La Mole.

Être aimé de Mathilde c'est se hisser au rang des grands seigneurs qui l'éblouissent malgré le mépris qu'il s'imagine éprouver à leur égard : « *Enfin moi* [...] *moi, pauvre paysan*, j'ai donc une déclaration d'amour d'une grande dame ! » « Je l'emporte sur le marquis de Croisenois. » Julien erre « dans le jardin, fou de bonheur ». « Oui, se disait-il avec une volupté infinie et en parlant lentement, nos mérites, au marquis et à moi, ont été pesés, et le pauvre charpentier du Jura l'emporte » (pp. 323-324). Julien éprouve un triple désir : il est fasciné par M. de Croisenois, en qui il voit toutes les qualités qui lui manquent personnellement, l'esprit d'à-propos, la naissance, la fortune. M. de Croisenois aime Mathilde. Julien copie les désirs de son rival, s'assimilant à lui. Le plaisir de posséder Mathilde est « le divin plaisir de [se] voir sacrifier le marquis de Croisenois, le fils d'un duc, et qui sera duc lui-même » (p. 334). La jouissance de vanité est beaucoup plus forte que lors de la liaison avec Mme de Rênal, parce que Mathilde est d'un rang très supérieur, et que les rivaux supplantés sont donc infiniment plus prestigieux : « Mme de Rênal n'avait pas de marquis de Croisenois à lui sacrifier. Il n'avait pour rival que cet ignoble sous-préfet, M. Charcot. » Le désir qu'il éprouve pour Mathilde est donc essentiellement inauthentique. Elle n'apparaît désirable que parce que *les autres* la désirent, sa possession n'est un plaisir que parce qu'elle est un triomphe sur « ces autres » qui ont sur lui tous les avantages de la naissance et de la fortune. Elle lui permet d'avoir de lui-même une image flatteuse. D'où l'autodestruction totale à laquelle le poussent les froideurs et les mépris de Mathilde. Loin de se rebeller contre la condamnation qu'elle porte sur sa personne, il y souscrit avec un masochisme délirant : « Elle avait connu son peu de mérite. Et en effet, j'en ai bien peu ! se disait Julien avec pleine conviction » (p. 358). « Cette âme si ferme était enfin bouleversée de fond en comble. » Il ne s'agit pas d'un désespoir d'amour. Julien avait cristallisé sur Mathilde tous ses rêves de succès, et sans la caution de cet amour, il ressent à nouveau son néant social qu'il assimile à un néant de tout son être : « Le dégoût de soi-même ne peut aller plus loin » (p. 391). Tiré du désespoir par le prince Korasoff, il applique le plan de bataille que ce dernier lui transmet, et reconquiert, avec Mathilde, sa confiance en lui et son énergie. Bien entendu, « ce bonheur était plus d'orgueil que d'amour » (p. 420) ; pensant avoir dans ses bras une reine, il se sent roi lui-même.

LA PASSION DE MATHILDE

Une bravade sociale

L'amour de Mathilde pour Julien n'est pas plus pur.

Stendhal nous la présente comme une jeune personne en tous points favorisée par le destin, et qui s'ennuie mortellement dans son milieu : « Que pouvait-elle désirer ? La fortune, la haute naissance, l'esprit, la beauté à ce qu'on disait, et à ce qu'elle croyait, tout avait été accumulé sur elle par les mains du hasard » (p. 311). Sa vie semble toute tracée : épouser Croisenois, « chef-d'œuvre de l'éducation de ce siècle », être la reine des bals. Quel projet faire, quand on possède déjà tout ? Cet avenir tout tracé l'ennuie donc déjà.

En fait, son caractère rappelle en bien des points celui de Julien. Comme lui, elle rêve de courage, de gloire militaire : « S'exposer au danger élève l'âme et la sauve de l'ennui où mes pauvres adorateurs semblent plongés » (p. 311). Comme lui, elle admire par-dessus tout l'énergie individuelle. Les circonstances historiques ne lui permettant pas de conspirer, elle transporte dans le domaine de l'amour ses rêves d'action « audacieux et superbes ». « Mon bonheur sera digne de moi [...]. Il y a déjà de la grandeur et de l'audace à oser aimer un homme placé si loin de moi par sa position sociale » (p. 312). C'est parce que Julien lui est socialement très inférieur qu'elle le choisit. Son origine, son éducation lui confèrent une sorte d'exotisme et surtout mettent d'emblée leurs relations hors du commun. « Tout doit être singulier dans le sort d'une fille comme moi. » Il faut que Julien soit non seulement pauvre mais roturier : plus grande est la distance qui les sépare, plus extraordinaire sera la liaison de Mme de La Mole avec Julien. La distance sociale remplace les murs du couvent ou le meurtre d'un père.

Une décision intellectuelle

Semblable aux Précieuses ridicules récitant à Gorgibus les règles de l'Amour, Mathilde se donne comme modèle « les descriptions de passion » qu'elle a lues dans *Manon Lescaut*, *La Nouvelle Héloïse*, les *Lettres d'une religieuse portugaise*, etc. « Il n'était question, bien entendu, que de la grande passion [...]. Elle ne donnait le nom d'amour qu'à ce sentiment héroïque que l'on rencontrait en France du temps de Henri III et de Bassompierre » (p. 312). Son « amour » est donc le fruit d'une décision intellectuelle : « Une *idée* l'illumina tout à coup : J'ai le bonheur d'aimer » ; cet amour chasse l'ennui, a la saveur du fruit défendu, et la place définitivement hors de « l'ornière tracée par le vulgaire ». Bref, Mathilde qui ne rêve que « d'exciter continuellement l'attention », de ne pas passer « inaperçue dans la vie », s'est donné un amour qui la singularise et qui, s'il y a une révolution, lui assurera un grand rôle.

Une liaison fondée sur l'orgueil

Mais la révolution ne vient pas. Mathilde, dans l'impossibilité de faire éclater la grandeur de son geste et sûre d'être aimée de Julien, le méprise parfaitement. Elle qui se voulait au-dessus de sa classe cède aux préjugés les plus communs, et l'origine sociale de Julien, qui l'avait fait distinguer au départ, lui apparaît brusquement comme une tare honteuse : « Elle était en quelque sorte anéantie par l'affreuse idée d'avoir donné des droits sur elle à un petit abbé, fils d'un paysan. C'est à peu près [...] comme si j'avais à me reprocher une faiblesse pour un des laquais » (pp. 365-366). Pour la reconquérir, Julien est donc sans cesse obligé de prouver qu'il appartient au monde des héros, soit en menaçant de la tuer, soit en apparaissant comme un cruel séducteur (épisode de la maréchale de Fervaques). C'est entre eux le cercle infernal du mépris : s'il montre son amour, Julien est méprisé – et se méprise lui-même. S'il affecte le mépris, Mathilde cesse de le considérer comme « un être inférieur dont on se fait aimer comme on veut » et quitte son attitude méprisante. Incapable de concevoir des relations égalitaires, elle s'écrie alors : « Sois mon maître », passant du sadisme au masochisme. Toute sincérité sentimentale[1] est donc exclue de cette liaison dont la racine, chez chacun des antagonistes, est l'orgueil. Même lorsque Mathilde, à la fin du roman, parvient à « aimer réellement » Julien, elle ne peut se désintéresser de l'opinion publique, qu'elle entend fasciner par ses actions téméraires et ses gestes théâtraux. Sa relation avec Julien est donc sans cesse médiate : « Il fallait toujours l'idée d'un public et des *autres* à l'âme hautaine de Mathilde. »

Son dernier geste lui-même – tenir sur ses genoux la tête de son amant, puis l'ensevelir de ses mains – est copié sur un illustre modèle : l'histoire de Marguerite de Navarre et du jeune La Mole. L'ancêtre de Mathilde,

1. Il n'en est pas de même de la sincérité politique : Julien qui n'avait pas eu le courage de dévoiler son bonapartisme à Mme de Rênal, avoue son admiration pour Napoléon et son « jacobinisme » à Mathilde ; cette confidence ne peut que le servir auprès de cette fille fantasque, en rébellion contre la platitude de son milieu ; en effet, le mot de son frère : « Si la révolution recommence, il nous fera tous guillotiner », loin de l'effrayer, l'ancre dans sa détermination d'aimer Julien : « Ce serait un Danton ! » se dit-elle avec délices.

Boniface de La Mole, avait été décapité en place de Grève pour avoir été l'amant de la reine Marguerite de Navarre. Cet épisode, qui exalte l'imagination de Mathilde et cristallise les vertus d'héroïsme et de passion seules capables de l'émouvoir, lui sert jusqu'à la fin de référence. Ainsi, même aux instants suprêmes, Mathilde est incapable d'inspiration spontanée. Du début à la fin, son amour est sous le signe du spectaculaire et de la provocation. Et lorsque Julien est exécuté, Mathilde en est plus amoureuse que jamais parce que son crime prouve une détermination et une énergie extraordinaires, justifiant son choix initial. Il n'est plus « mon petit Julien », ce petit-bourgeois qu'elle contemplait curieusement. Sa condamnation à mort, « la seule chose qui ne s'achète pas », selon le bon mot prémonitoire de Mathilde, le distingue à jamais. En ce sens, pour Mathilde, le roman finit bien !

Le rôle que joue la conscience de classe dans la naissance et le développement du sentiment amoureux chez les héros du *Rouge et le Noir* est donc essentiel. La bonne et timide Mme de Rênal ne se serait jamais prise d'affection pour Julien s'il ne lui était d'abord apparu comme un « enfant » à guider, à protéger, à éduquer, parce que sa basse naissance le laissait ignorant et dénué de tout. Loin d'être un « domaine réservé », l'amour est le champ de bataille où Julien livre son combat pour être reconnu comme un égal par celles qui lui sont socialement supérieures, et pour se venger de ceux qui le méprisent. Il est enfin le terrain privilégié où Mathilde décide de prouver qu'elle est un être extraordinaire.

6 La fin du roman

TRIOMPHE DE JULIEN

L'arriviste a atteint ses objectifs

Sur la place d'armes de Strasbourg, à la tête du 15e régiment de hussards, un des plus élégants de l'armée, caracole le chevalier de La Vernaye, monté sur le plus beau cheval de l'Alsace. Les chevaux, les uniformes, les livrées des gens de ce jeune lieutenant sont célèbres.

Qui reconnaîtrait le petit paysan en larmes sonnant à la porte de Mme de Rênal trois ans plus tôt ?

De fait, Julien a parcouru un chemin immense. De charpentier, devenu précepteur, puis secrétaire particulier d'un grand seigneur, il doit sa fortune à la séduction de la fille de celui-ci : une inscription de dix mille livres de rente, puis des terres dans le Languedoc, et enfin un brevet de lieutenant de hussards et le titre de chevalier de La Vernaye. M. de La Mole, d'abord outré de la conduite de Julien, finit par se résigner au mariage de sa fille et rêve de bâtir une brillante situation à ce gendre inattendu. En fait, son intelligence et son cœur l'ont adopté ; il est significatif qu'il envisage de lui faire transmettre sa pairie, au détriment de son fils Norbert. Julien a donc tout ce dont il rêvait au début du roman : il a troqué le triste habit noir du prêtre et du secrétaire pour l'uniforme rouge des hussards, il a conquis la femme la plus belle et la plus spirituelle, il est riche, il est quasiment l'héritier d'un pair de France. Tout ce qui rappelait son origine a été effacé : il a appris à s'habiller comme un dandy, à danser, à se battre, à monter à cheval. Le changement de nom vient consacrer cette véritable mutation du personnage. Il n'est plus Julien Sorel, fils du charpentier de Verrières, il est M. de La Vernaye, fils naturel d'un grand seigneur. La fable de son origine bâtarde, mais noble, inventée autrefois par le chevalier de

Beauvoisis qui ne voulait pas avoir tiré l'épée contre un manant, a été reprise à propos par M. de La Mole, et va être accréditée par ses soins. La reconnaissance implicite de sa haute naissance est acceptée par le puissant abbé de Frilair — moyennant le règlement du procès qui l'opposait à M. de La Mole. Voici donc Julien anobli, aussi bien dans l'opinion publique que sur les papiers officiels. Mais l'essentiel est que Julien se mette à croire lui-même à cette histoire : « Serait-il bien possible [...] que je fusse le fils naturel de quelque grand seigneur exilé dans nos montagnes par le terrible Napoléon ? À chaque instant cette idée lui semblait moins improbable » (p. 441). Lui qui était animé, au début du roman, du « feu sacré avec lequel on se fait un nom » (p. 86), en accepte un tout fait du père de la jeune fille qu'il a séduite. Noble, époux d'une femme noble, il va fonder une dynastie, et se projette déjà sur l'enfant à naître — qui ne saurait être qu'un fils, puisqu'il doit être le double fortuné de Julien. En apprenant qu'il est lieutenant de hussards, « sa joie fut sans bornes. On peut se la figurer par l'ambition de toute sa vie, et par la passion qu'il avait maintenant pour son fils » (p. 439). On mesure la trahison de classe de Julien : il se rêve de sang noble. Corollairement, son dieu tutélaire, son modèle, Napoléon, « l'homme envoyé de Dieu pour les jeunes Français », est devenu « ce terrible Napoléon », terme dont se servent ses ennemis, les aristocrates. Objectivement, en acceptant la mission secrète que lui confie M. de La Mole, quand il est l'émissaire de la conspiration ultra, il travaille contre les « deux cent mille jeunes gens appartenant à la petite bourgeoisie » et désireux de sortir de leur médiocrité, dont il faisait partie autrefois. Il s'étonne que les conspirateurs ultras parlent franchement devant lui : « Comment dit-on de telles choses devant un plébéien ? » (p. 389). Mais c'est que ces conspirateurs ne se trompent pas sur son appartenance sociale réelle à l'époque où ils l'utilisent dans leur complot. Il n'a plus rien du « plébéien révolté » qu'il était à dix-huit ans ; insidieusement, lentement, il est devenu l'un des leurs. Et ils ont raison de lui faire confiance : il prend très au sérieux sa mission, il l'accomplit scrupuleusement. Il a fait tout son possible pour que les étrangers viennent en France restaurer dans sa pureté l'Ancien Régime, et remettre à leur place tous ces jeunes gens pauvres et trop bien éduqués qui voudraient partir à l'assaut de la société. Bref, il contribue à écraser les nouveaux Julien Sorel.

La transformation morale de Julien

Bien entendu, ce « changement de camp » objectif s'est accompagné d'une transformation morale. On peut mettre deux scènes en parallèle. L'une se situe tout au début du roman (p. 49). Julien a du mal à contenir son indignation devant le respect dont on entoure M. Valenod : « Un homme qui évidemment a doublé et triplé sa fortune, depuis qu'il administre le bien des pauvres ! Je parierais qu'il gagne même sur les fonds destinés aux enfants trouvés, à ces pauvres dont la misère est encore plus sacrée que celle des autres ! Ah ! monstres ! monstres ! » Des larmes de généreuse indignation lui viennent aux yeux, il s'assimile à ces enfants trouvés. Or, dans la deuxième partie du roman, nous le voyons réclamer cette place de directeur du dépôt de mendicité pour son père, qu'il juge le plus fieffé des coquins ! Il fait également attribuer le bureau de loterie de Verrières à un vieil imbécile réactionnaire, alors qu'il avait été demandé par M. Gros, célèbre géomètre et homme généreux. Il a bien un recul devant sa propre turpitude, mais il se reprend : « Ce n'est rien, se dit-il, il faudra en venir à bien d'autres injustices, si je veux parvenir » (p. 283). Ailleurs, il conclut cyniquement qu'une position sociale plus élevée rendrait ses « coquineries » « moins ignobles ».

Ainsi donc, le lieutenant de La Vernaye n'est plus, apparemment, l'ardent Julien du début. « Mon roman est fini, et à moi seul tout le mérite », s'écrie-t-il avec orgueil (p. 439). Oui, son roman est fini, l'arriviste est « arrivé », et Stendhal aurait pu arrêter là son livre, laissant à sa brillante carrière un héros qui s'est trahi lui-même ; Julien serait un Rastignac bourgeois, *Le Rouge et le Noir* une sorte de leçon de cynisme.

COUP DE THÉÂTRE : LE CRIME DE JULIEN ET SES INTERPRÉTATIONS

Or, au moment où tout est gagné, voilà que tout est perdu ! Le marquis de La Mole reçoit de Mme de Rênal une lettre dénonçant Julien comme un vil hypocrite qui cherche à « disposer du maître de la maison et de sa fortune » en séduisant femme ou fille. Furieux de cette catastrophe imprévue, qui le frappe en plein triomphe, Julien se précipite à Verrières, achète des pistolets, et en tire deux coups, à l'église, sur Mme de Rênal.

Julien est-il devenu fou ?

Ce brusque rebondissement de l'intrigue a déconcerté, voire indigné les critiques. « Le dénouement du *Rouge et le Noir* est bien bizarre, et, en vérité, un peu plus faux qu'il n'est permis [...] tous les personnages perdent la tête [...] Julien, l'impeccable ambitieux, l'homme de sang-froid effrayant et de volonté imperturbable, est le plus insensé de tous », écrit Faguet (*Revue des Deux Mondes*, 1892) qui voit dans cette fin « une condamnation de l'auteur ». Léon Blum a un jugement analogue : « On ne conçoit de la part de Julien ni jalousie ni désir de vengeance », et il ne trouve qu'une explication à cette fin aberrante : Stendhal a suivi le canevas historique. Berthet, « modèle » de Julien, ayant voulu assassiner, Julien en fait autant, au détriment de la vraisemblance psychologique.

Henri Martineau, lui, prend à la lettre les mots de Faguet : « Julien est insensé » et interprète son acte comme un geste de fou. Le héros, devenu un « véritable malade », aurait agi dans un « état second ».

Louis-Martin Chauffier (« L'impérieuse vocation d'Henri Beyle » in *Le Mot d'ordre* du 20 mai 1942) renchérit : « J'avancerais [...] que Julien n'aurait pas tiré du tout si Stendhal ne l'avait traîné de force à travers la moitié de la France, ne lui avait mis l'arme en main, n'avait lui-même appuyé sur la gâchette. Dans toute cette affaire, il n'y a qu'un assassin responsable, c'est l'auteur. C'est lui qui dicte à Mme de Rênal sa lettre incroyable, qui fait accomplir à cet ambitieux enfin parvenu, non à la réussite, mais sur le seuil grand ouvert de la réussite, un voyage de deux longs jours et quarante petites lignes pour exécuter un geste insensé, qui lui ôte d'abord l'esprit puis le conduit au supplice. Crime avec préméditation, et dont le mobile apparaît clairement : Stendhal voulait tuer M. le lieutenant Julien Sorel de La Vernaye parce qu'il ne savait plus qu'en faire. »

Somme toute, Julien est devenu fou et sa folie permet à Stendhal de l'envoyer à la guillotine, solution pour se débarrasser d'un héros désormais importun.

Toutes ces analyses se fondent sur un même principe : Stendhal manque d'art. Il était à bout d'imagination, la fin du roman est une corvée expédiée vaille que vaille.

Julien reste-il fidèle à lui-même ?

L'explication de P.-G. Castex a le mérite de prendre l'écrivain au sérieux, et de donner un sens à cette fin étonnante. Il place cet acte dans une perspective logique : brutalement déçu au moment de son triomphe, cet ambitieux ne s'avoue pas vaincu et, montrant une fois de plus la force de caractère déployée dans tout le roman, il se venge, sur la personne de Mme de Rênal, de l'aristocratie qui le « barre ». Son crime consacre sa victoire, en dépit de l'échec social qui l'a commandé. Son orgueil a le dernier mot. Par son énergie lucide, il se montre d'une « trempe égale à celle des aristocratiques héros des futures *Chroniques italiennes*[1] ». Comme eux il s'accomplit dans son crime, sans lequel il ne serait plus qu'un raté. Julien, ému en revoyant le visage aimé de Mme de Rênal, ne trouve la force de tirer que parce qu'il fait de ce meurtre un *devoir* absolu. Il est ainsi parfaitement fidèle à lui-même.

À un niveau plus profond, l'acte de Julien peut recevoir une autre interprétation. Mme de Rênal a tracé de lui un portrait ignoble : « Pauvre et avide, c'est à l'aide de l'hypo-

1. P.-G. Castex, *Le Rouge et le Noir de Stendhal* (Sedes, 1967, p. 319).

crisie la plus consommée, et par la séduction d'une femme faible et malheureuse, que cet homme a cherché à se faire un état et à devenir quelque chose... » (p. 443). Or ce portrait, vu *de l'extérieur*, est parfaitement juste : Julien a séduit Mme de Rênal, et c'est la conquête de Mathilde qui lui a donné fortune et noblesse. *Seul* Julien sait que ce portrait est faux : devenir l'amant de Mme de Rênal le vengeait des nobles qui le regardaient avec un sourire protecteur à son bout de table.

Le geste d'un « plébéien révolté »

Mais Julien n'est pas le *Paysan parvenu*, jamais il n'a voulu tirer de profits matériels de ses conquêtes. Loin de s'inscrire dans une stratégie sociale, elles restaient des triomphes purement psychologiques. Comme il le disait lui-même de Mathilde : « Je l'aurai, je m'en irai ensuite. » Cette caricature déshonorante, ce miroir déformant que lui impose Mme de Rênal, il importe de les détruire, et sur-le-champ, il se débarrasse de l'image odieuse qu'on voulait lui imposer, et il affronte ouvertement la société : « J'ai été offensé d'une manière atroce ; j'ai tué, je mérite la mort, mais voilà tout. Je meurs après avoir soldé mon compte envers l'humanité » (p. 448). Son acte lui permet de conserver son honneur et sa propre estime. Comme il le dit un peu plus loin : « Que me restera-t-il [...] si je me méprise moi-même ? » (p. 496). L'essentiel n'est d'ailleurs pas le crime — question qu'il règle en deux mots : « Mon crime est atroce, et il fut *prémédité*. J'ai donc mérité la mort, messieurs les jurés » — mais la vision beaucoup plus large qu'il donne de sa vie au tribunal : « Vous voyez en moi un paysan qui s'est révolté contre la bassesse de sa fortune » (p. 474). Il place donc lui-même son crime dans une perspective de lutte sociale, plus précisément de lutte des classes : « Je n'ai point l'honneur d'appartenir à votre classe. »

Il interprète à l'avance le verdict des jurés qui voudront, non pas punir un assassin, mais à travers lui « décourager à jamais cette classe de jeunes gens qui, nés dans une classe inférieure et en quelque sorte opprimés par la pauvreté, ont le bonheur de se procurer une bonne éducation, et l'audace de se mêler à ce que l'orgueil des gens riches appelle la société » (p. 475). Il n'y a pas de justice, il n'y a qu'une justice de classe, rendue par les « bourgeois indignés ». De même qu'il n'y a pas de droit naturel. La loi est faite par les puissants ; la société n'a aucun fondement moral, elle n'est que rapports de force : « Les gens qu'on honore ne sont que des fripons qui ont eu le bonheur de n'être pas pris en flagrant délit » (p. 490).

Ainsi, effaçant grâce à son crime sa trahison passagère, Julien redevient le « plébéien révolté » qu'il était au début. Il rejoint le camp des « contestataires » — au moins par le discours, puisque, de toute façon, il est « hors combat », emprisonné et voué à une mort très proche.

Le combat de Julien était sans issue, parce qu'il était solitaire. Un individu ne peut à lui seul transformer la société : or, à aucun moment, Julien n'essaie de faire bloc avec des compagnons, au séminaire par exemple, pour provoquer l'éclatement des structures d'une société qu'il abhorre. Son aventure individuelle ne pouvait avoir de solution heureuse : ou il échouait, et devenait un aigri, ou il « réussissait », et il était « récupéré » par la société même qu'il prétendait combattre. La tentative de meurtre de Mme de Rênal et son discours au tribunal le sauvent *in extremis* d'une réussite qui serait aussi un reniement.

QUI PERD GAGNE

La fin du *Rouge et le Noir* est en fait construite sur un double coup de théâtre : en un premier temps, le héros, qui triomphait, est précipité du haut de son succès. En un second temps, au moment où il semble avoir tout perdu, où *socialement* il a de fait tout perdu, il s'aperçoit qu'il a tout gagné. Mais sur un autre plan. Isolé dans sa prison, Julien rentre en lui-même. Il y fait des découvertes « étonnantes » : « Je croyais que par sa lettre à M. de La Mole [Mme de Rênal] avait détruit à jamais mon bonheur à venir, et, moins de quinze jours après la date de cette lettre, je ne songe plus à tout ce qui m'occupait alors » (p. 451). Il se revoit en fringant lieutenant, avec un détachement ironique : « J'étais un grand sot à Strasbourg, ma pensée n'allait pas au-delà du collet de mon habit » (p. 453). Julien, délivré des luttes sociales, est métamorphosé : « L'ambition était morte en son cœur, une autre passion y était sortie de ses cendres ; il l'appelait le remords d'avoir assassiné Mme de Rênal. Dans le fait, il en était éperdument amoureux » (p. 464).

Un personnage enfin lucide et sincère

Julien entre dans le règne de l'authentique : revoyant son détestable père, pas un instant il ne doute d'être son fils. Son amour pour Mathilde, si mêlé d'ambition, de revanche sociale, a disparu. Du fils qu'elle attend de lui, et dont il faisait sa consécration sociale, il transfère moralement la maternité à Mme de Rênal : « Mettez votre enfant en nourrice à Verrières. Mme de Rênal surveillera la nourrice » (p. 465). Tout lui apparaît dans une lumière nouvelle. Il trouve un bonheur singulier « à se livrer tout entier au souvenir des journées heureuses qu'il avait passées jadis à Verrières ou à Vergy ». Il avait gâché son amour par « la sotte idée d'être regardé comme un amant subalterne, à cause de sa naissance obscure » (p. 101). Désormais, puisqu'il a « réglé son compte » à la société, livré publiquement son combat social, il peut laisser son cœur le guider dans le domaine sentimental. Purifié de ses complexes, de ses rancœurs, il voit clair, et reconnaît l'amour véritable dans le lien qui l'a uni à Mme de Rênal. « Ai-je beaucoup aimé ? Ah ! j'ai aimé Mme de Rênal », et quand il la retrouve enfin dans sa prison, « fou d'amour », il a ce cri du cœur : « Sache que je t'ai toujours aimée, que je n'ai aimé que toi » (p. 482).

Dans sa prison, Julien est à la fois en dehors de l'espace social et en dehors du temps. Libéré des projets, il peut enfin jouir du présent. Avec une parfaite lucidité, il analyse son passé avec Mme de Rênal : « Autrefois [...] quand j'aurais pu être si heureux pendant nos promenades dans les bois de Vergy, une ambition fougueuse entraînait mon âme dans les pays imaginaires. Au lieu de serrer contre mon cœur ce bras charmant qui était si près de mes lèvres, l'avenir m'enlevait à toi ; j'étais aux innombrables combats que j'aurais à soutenir pour bâtir une fortune colossale » (p. 495). Ambition, avenir, combats, telle était la thématique de Julien ; maintenant, il pense en termes d'amour et de bonheur : « L'homme a deux êtres en lui », constate-t-il. Chez lui, l'ambitieux étouffait le sentimental. Par un beau paradoxe, emprisonné, le voilà libre.

Un personnage enfin heureux et réconcilié avec lui-même

On retrouve ici le thème paradoxal du bonheur en prison cher à Stendhal. Julien en prison, s'abandonnant enfin à son amour, est le pendant de Fabrice enfermé dans la tour Farnèse (*La Chartreuse de Parme*) et goûtant le bonheur parfait grâce à son amour pour Clélia.

Il n'a plus besoin de se fixer des obligations toujours contraires à ses impulsions, plus besoin d'oser des gestes qu'il ne désire pas, ni de retenir ceux qu'il désire. « La main de fer du devoir », selon sa propre expression, a lâché prise, le laissant libre de choisir le bonheur. Il était sans cesse tendu vers l'accomplissement d'un projet, il glisse dans une vie « pleine d'incurie et de rêves tendres ». Quand on cherche à lui faire faire quelque démarche pour éviter la condamnation à mort, à le réintégrer, somme toute, dans le réel, il refuse avec horreur : « Laissez-moi ma vie idéale. Vos petites tracasseries, vos détails de la vie réelle, plus ou moins froissants pour moi, me tireraient du ciel. » Il s'étonne lui-même : « Il est singulier pourtant que je n'aie connu l'art de jouir de la vie que depuis que j'en vois le terme si près de moi » (p. 467). Pas singulier du tout : seul ce terme proche, en l'arrachant à la société, le rend à lui-même. Il a poursuivi sans relâche pendant presque quatre ans un but dont il comprend à la fin l'inanité. Il dilate à l'infini par la profondeur du bonheur le petit nombre de jours qu'il lui reste à vivre : « Ne pouvons-nous pas passer deux mois ensemble d'une manière délicieuse ? Deux mois, c'est bien des jours. Jamais je n'aurai été aussi heureux » (p. 483). Presque la « petite seconde d'éternité » de Prévert. En même temps qu'à l'amour, il s'abandonne aux sensations : « Marcher au grand air fut pour lui une sensation délicieuse. » Autrefois sa « noire ambition » le distrayait des plaisirs que donne la contemplation d'un paysage. Ce n'est pas qu'il manquât de sensibilité naturelle : à plusieurs reprises, Stendhal le montre attentif au paysage, mais il souligne en même temps que son ambition fait écran entre le monde et lui. Ainsi, partant dans les bois après avoir triomphé de M. de Rênal : « Il fut *presque* sensible... à la beauté ravissante des bois au milieu desquels il marchait » (p. 76), il ne s'accorde ce loisir que comme une récompense, et encore, imparfaitement. De même, quand il oublie fugitivement son obsessionnel « devoir », il s'ouvre au monde des choses. Tenant la main de Mme de Rênal, « perdu dans une rêverie vague et douce... il écoutait à demi le mouvement des feuilles du tilleul agitées par ce léger vent de la nuit, et les chiens du moulin du Doubs qui aboyaient dans le lointain » (p. 79). Il devenait sensible en même temps aux charmes de Mme de Rênal et à ceux de la nature. Il est donc normal que, rendu à l'amour, il le soit aussi au monde, au moment même où il va le quitter. « Jamais cette tête n'avait été aussi poétique qu'au moment où elle allait tomber. Les plus doux moments qu'il avait trouvés jadis dans les bois de Vergy revenaient en foule à sa pensée et avec une extrême énergie » (p. 497).

Il meurt réconcilié avec lui-même, et c'est sur ces réminiscences heureuses que Julien nous quitte. À la phrase suivante, en effet, il n'est déjà plus là : « Tout se passa simplement, convenablement, et de sa part sans aucune affectation » (p. 497). Ce « tout » vague escamote l'exécution, empêche le « retour aux détails de la vie réelle » que redoutait Julien, et constitue, comme le dit Jean Prévost, un cas « d'euthanasie littéraire ». Elle est l'équivalent stylistique de la mort dans le destin de Julien, qui, en dénouant ses contradictions, lui avait permis, dans ses derniers mois, d'accéder enfin au bonheur.

7 Le travail de la forme chez Stendhal

STENDHAL : « ÉCRIVAIN DU XVIIIe SIÈCLE »

De même qu'on pourrait assimiler idéologiquement Stendhal à un républicain du XVIIIe siècle, teinté d'aristocratisme, on pourrait rapprocher son style de celui des philosophes du siècle des Lumières et notamment de Montesquieu[1]. Contre les recherches formelles de ses contemporains, il prône l'emploi d'une expression classique : « Soyons classiques dans les expressions et les tours[2]. » Il s'insurge violemment contre Chateaubriand : « Le beau style de M. de Chateaubriand me sembla ridicule dès 1802. Ce style me semble dire une quantité de petites faussetés[3]. »

Il adresse les mêmes reproches à J.-J. Rousseau et à George Sand. La forme doit faire corps avec l'idée, éviter la gratuité ornementale. Le danger pour l'écrivain serait de s'abandonner à une forme lourde et opaque : « Le meilleur [style] est celui qui se fait oublier et laisse voir le plus clairement les pensées qu'il énonce[4]. » « Je ne vois qu'une règle : le style ne saurait être trop *clair*, trop simple[5]. »

---

1. « Deux seuls livres me donnent l'impression du *bien écrit : les Dialogues des morts* de Fénelon, et Montesquieu. » Lettre à Balzac du 16 octobre 1840.
2. *Racine et Shakespeare*, X, 7.
3. *Lettre à Balzac* du 16 octobre 1840. Dans le *New Monthly Magazine* (1er juin 1825), il écrit encore : « Le meilleur des écrivains en prose est, croyons-nous, l'hypocrite le plus consommé de France. »
4. Stendhal, *Mémoires d'un touriste*, Toulon, 1837.
5. Stendhal, *Lettre à Balzac*, 16 octobre 1840.

Ses modèles sont Napoléon et le *Code civil*, aboutissement de la prose française du XVIIIe siècle. Comme sur le plan des idées, il y a chez Stendhal refus d'un style fondé sur l'emphase, la fausseté, l'hypocrisie. Cette attitude s'inscrit encore dans la continuation du XVIIIe siècle, période durant laquelle l'expression se révèle une arme, instrument de dialogue ou de satire, où tout est rationnel, clair, à la taille de l'homme.

Tout au long du XIXe siècle, le style va au contraire cesser d'être transparent pour devenir un obstacle à l'expression, une fin en soi, une recherche autonome :

« La forme littéraire développe un pouvoir second, indépendant de son économie [...] ; elle fascine, elle dépayse, elle enchante, elle a un poids ; on ne sent plus la littérature comme un mode de circulation socialement privilégié, mais comme un langage consistant, profond, plein de secrets [...]. Tout le XIXe siècle a vu progresser ce phénomène de concrétion. Chez Chateaubriand, ce n'est encore qu'un faible dépôt[1]... »

C'est contre cette tendance que Stendhal veut lutter. Sa langue, sur plusieurs points, continue celle du XVIIIe siècle : sobre, peu descriptive, utilisant des tours allusifs, des ellipses, préférant aux articulations logiques la juxtaposition des éléments de la phrase. Ses descriptions des lieux et des personnages sont souvent rapides, rarement pittoresques.

Doit-on attribuer cette apparente pauvreté à une incapacité ou à un parti pris délibéré ?

STENDHAL ET LE RÉALISME

Le refus du réalisme balzacien

Stendhal écarte la description pour elle-même, le tableau pittoresque en soi.

---

1. Roland Barthes, *Le Degré zéro de l'écriture*, (Le Seuil, 1963, pp. 10-11).

Toute réalité n'est pas nécessairement intéressante et le rôle de l'écrivain consiste à choisir ce qui est significatif.

Stendhal, dans son « Projet d'article sur *Le Rouge et le Noir* », écrit en automne 1832 :

« Le génie de Walter Scott avait mis le Moyen Âge à la mode ; on était sûr du succès en employant deux pages à décrire la vue que l'on avait de la fenêtre de la chambre où était le héros ; deux autres pages à décrire son habillement, et encore deux pages à représenter la forme du fauteuil sur lequel il était posé. M. de S[tendhal], ennuyé de tout ce Moyen Âge, de l'*ogive* et de l'habillement du XVe siècle, osa raconter une aventure qui eut lieu en 1830 et laisser le lecteur dans une ignorance complète sur la forme de la robe que portent Mme de Rênal et Mlle de La Mole. »

Il ne s'agit pas de donner une « photographie » de la réalité, de l'inventorier dans ses moindres détails, mais bien de l'interpréter pour en dégager les lignes de force.

« On arrive à la petitesse dans les arts par l'abondance des détails et le soin qu'on leur donne[1]. »

On ne trouvera donc pas, chez Stendhal, de grands tableaux exhaustifs, campant longuement le décor de l'action comme chez Balzac. Doit-on pour autant affirmer qu'il n'y a pas entre le milieu et les personnages de relation directe de causalité et que, comme le dit G. Blin, « il ne détermine pas, ne résout pas le personnage de l'extérieur comme Zola[2] » ?

Certes, le milieu ne sécrète pas mécaniquement et fatalement l'individu, mais le cadre que Stendhal donne à ses personnages est toujours chargé de signification, aide à comprendre les protagonistes. Ainsi la description de Verrières sur le plan économique, géographique, social, politique, explique les mœurs et la psychologie de ses habitants. Plutôt que la description scrupuleuse d'une ville de province comme l'aurait fait Balzac, Stendhal préfère mettre en lumière les lignes dominantes des milieux dé-

---

1. Stendhal, *Rome, Naples et Florence* (I, p. 67, cité par Georges Blin, *Stendhal et les problèmes du roman* (J. Corti, 1953, p. 32).
2. Georges Blin, *op. cit.*, p.45.

crits, la loi générale, le *typique*[1] plutôt que l'anecdotique (*cf.* les titres de ses chapitres : Une petite ville, Un maire, etc.), le tissu des relations sociales qu'on trouve en général dans une ville de province sous la Restauration.

Cependant Stendhal ne se contente pas d'une esquisse théorique. Il a besoin pour ancrer son roman dans l'histoire de ce qu'il appelle des « petits faits vrais » empruntés à l'actualité, qui donnent l'impression du vécu. Mais ces faits ne sont pas choisis arbitrairement ; ils viennent corroborer une thèse, et tisser naturellement la chronique d'une petite ville de province : la visite du roi à Verrières, la cérémonie de Bray-le-Haut, l'adjudication de la maison à Saint-Giraud, etc.

Du point de vue chronologique, Stendhal ne donne pas de date précise ; mais il fournit des indications qui peuvent permettre de dater l'action : l'allusion au succès d'*Hernani* indique qu'on est en février 1830 et l'anniversaire de l'exécution de Boniface de La Mole qu'on est le 30 avril. Mais il se soucie peu de cohérence : s'appuyant sur les éléments fournis par l'auteur, H. Martineau en arrive à la conclusion que Julien Sorel a dû être exécuté le 25 juillet 1831, date postérieure à la publication de l'ouvrage !

Un « réalisme subjectif[2] »

Cette chronologie incertaine va de pair avec une totale irrégularité du déroulement temporel. Il n'y a pas de rapport entre le nombre de pages et la durée couverte. Le récit fait alterner des épisodes de longue durée et des moments très brefs. Voici à titre d'exemple le déroulement de la première partie : chap. 1 à 5 : trois jours ; chap. 6 : quelques heures ; chap. 7 : quatre ou cinq mois ; chap. 8 à 11 : environ trois mois ; chap. 9 : moins d'une journée ; chap. 12 : trois jours ; chap. 13 à 17 : cinq jours ; chap. 18 à 23 : quelques mois ; chap. 24 à 29 : quatorze mois ; chap. 30 : une journée et deux nuits.

---

1. « Verrières, dans ce livre, est un lieu imaginaire que l'auteur a choisi comme le type des villes de province. » Stendhal, *Lettre au comte de Salvagnoli.*

2. Cette expression, comme beaucoup d'autres par la suite, est empruntée au livre de Georges Blin, *Stendhal et les problèmes du roman, op. cit.*

Les chapitres qui couvrent une longue période permettent l'évolution et la maturation de Julien, et ceux qui décrivent longuement des scènes très courtes correspondent à des moments intenses (soirée où Julien prend la main de Mme de Rênal au chapitre 9, conversation avec l'abbé Pirard au chapitre 24, etc.). Le temps est donc fonction du héros, de ses sentiments et des crises qu'il traverse.

De même, si Stendhal élimine la vision panoramique d'un témoin idéal, c'est que la réalité n'est jamais perçue qu'à travers la personnalité de ses protagonistes, et essentiellement de Julien.

Durant presque tout le roman, nous découvrons le monde avec lui, progressivement, en même temps que lui, et nous n'en percevons que ce qu'il en retient.

Le monde n'existe pas quand Julien ne le regarde pas ; les personnages s'évanouissent lorsque Julien les élimine de son champ mental (la maréchale de Fervaques disparaît brusquement dès lors que Julien cesse de s'y intéresser). Et quand Julien ne comprend pas une situation (la mise en scène de l'évêque d'Agde[1]) ou qu'il ne saisit qu'une partie de la réalité (la réunion de la Note Secrète[2], nous n'en savons pas plus que lui.

Aussi les modes d'appréhension du monde dans le livre seront ceux de Julien ; on peut en relever au moins trois.

• Le style ironique des *Lettres persanes* ou de *L'Ingénu*

Souvent, Julien est une espèce d'étranger qui perçoit les choses naïvement, sans y reconnaître les significations sociales, les codes, les convenances. Il découvre de l'extérieur un monde qui semble absurde, théâtral, sans causalité. On retrouve là par excellence le procédé des philosophes du XVIIIe siècle qui aboutit à une satire pénétrante des institutions en place. Ce regard ironique jeté sur la société est utilisé fréquemment dans *Le Rouge et le Noir* : la cérémonie de Bray-le-Haut, la soirée chez Valenod, les

1. Cf. pp. 114-117 (Folio).
2. Cf. livre II, chap. 22 et 23.

soirées des salons parisiens, les séances de la Note Secrète, celles du tribunal à la fin du livre. Voici, par exemple, la préparation de l'évêque d'Agde avant la cérémonie : « Un jeune homme, en robe violette et en surplis de dentelle mais la tête nue, était arrêté à trois pas de la glace. Ce meuble semblait étrange en un tel lieu, et, sans doute, y avait été apporté de la ville. Julien trouva que le jeune homme avait l'air irrité ; de la main droite il donnait gravement des bénédictions du côté du miroir.

Que peut signifier ceci ? pensa-t-il. Est-ce une cérémonie préparatoire qu'accomplit ce jeune prêtre ? » (p. 114). Cette technique sert la démonstration de Stendhal : le geste est saisi en gros plan, vide de sens, grotesque, théâtral. Cela met en lumière la vacuité des institutions, le mécanique qui recouvre le vivant ; c'est un moyen de transformer les personnages en marionnettes, en fantoches.

• Le style de combat

Mais une fois déchiffré, le monde est pour Julien un lieu de combat, et il l'interprète à travers ses projets. Or justement cet intellectuel a une « conscience trop étroite par rapport à la complexité du monde[1] ». Il ne regarde presque jamais ce qui l'entoure ; Stendhal présente comme exceptionnelle toute perception du paysage par Julien, qui est absorbé dans ses desseins et n'a pas un instant à perdre (*cf.* ses réflexions après les propositions de Fouqué : « Quoi ! je perdrais lâchement sept ou huit années ! j'arriverais ainsi à vingt-huit ans ; *mais, à cet âge, Bonaparte avait fait ses plus grandes choses* », p. 86, souligné par nous).

Julien va donc vite ; il livre une course de vitesse continuelle avec la société. Or, selon G. Blin : « Le mouvement est incolore, le pittoresque toujours statique[2]. »

On saisit ici toute la différence avec les personnages de Flaubert, passifs, velléitaires, sans projets ; un Frédéric Moreau peut observer et décrire le monde, car il n'agit pas

---

1. Lucien Goldmann, *Pour une sociologie du roman* (Le Seuil, 1964, p. 25).
2. Georges Blin, *op. cit.*, p. 105.

sur lui, il est détaché, en marge. Le monde n'étant plus saisi dans une visée peut envahir le roman, s'étaler, écraser le héros. Cela n'est pas possible pour un héros comme Julien qui essaye de calquer tous ses actes sur ceux de Napoléon. De là, la rapidité du rythme, le caractère passionné, agressif, improvisé de ce style.

- **Le style poétique**

Cependant Julien, à certains moments, arrête de combattre, s'accorde des temps de repos et de contemplation. Parfois aussi il se laisse toucher par l'environnement, notamment lorsqu'il se retrouve seul : poésie des vues panoramiques et des paysages de montagne ; poésie des sommets (Julien sur la montagne suivant le vol de l'oiseau de proie, Ire partie, chap. 10). Parfois encore, il dépose sa cuirasse et se laisse aller à la poésie de l'amour et à la rêverie amoureuse (heures passées sous les tilleuls à Vergy, Ire partie, chap. 9). Enfin, surtout, lorsqu'il est en prison et que son combat est terminé, il peut se laisser aller au bonheur avec Mme de Rênal (IIe partie, chap. 37 à 45.)

LES CONTREPOINTS

Les intrusions de l'auteur

- **Les interruptions du récit et les remarques incidentes**

Ayant écrit du point de vue exclusif de Julien – fait significatif, dans ses notes, il donne à son roman le titre de *Julien* –, Stendhal se priverait d'une vision « objective » tant du héros lui-même que des autres personnages. Aussi compense-t-il « la restriction de champ » par des intrusions fréquentes, directes, qui lui permettent soit d'ajouter un complément d'information : « Le lecteur est peut-être surpris de ce ton libre et presque amical ; nous avons oublié de dire que depuis six semaines le marquis était retenu chez lui par une attaque de goutte » (p. 276), soit de porter un jugement personnel sur son héros :

« À ce coup terrible, éperdu d'amour et de malheur, Julien essaya de se justifier. Rien de plus absurde. Se justifie-t-on de déplaire ? Mais la raison n'avait plus aucun empire sur ses actions » (p. 365). « Il était encore bien jeune ; mais, suivant moi, ce fut une belle plante. Au lieu de marcher du tendre au rusé, comme la plupart des hommes, l'âge lui eût donné la bonté facile à s'attendrir, il se fût guéri d'une méfiance folle... (p. 454).

À tout moment, au cœur même de chaque phrase, Stendhal introduit des notations personnelles : « Les libéraux de l'endroit prétendent, *mais ils exagèrent*, que la main du jardinier officiel est devenue bien plus sévère depuis que M. le vicaire Maslon a pris l'habitude de s'emparer des produits de la tonte » (p. 23).

La pointe ironique et malicieuse vient s'intercaler subrepticement et fait entendre, sans en avoir l'air, le contraire de ce qu'elle affirme.

• Le jeu sur les possibles

Victor Brombert a très justement observé combien l'intervention de l'auteur se traduisait à travers le choix des temps[1].

Si l'imparfait et le passé simple sont utilisés comme les temps habituels du récit, le conditionnel marque presque toujours la présence de Stendhal. Il permet de représenter le décalage entre l'omniscience, la lucidité de l'auteur et l'inconscience de ses personnages : aux gaucheries de ces derniers s'opposent des conseils tactiques qui permettraient de surmonter les difficultés : « Si, au lieu de se tenir caché dans un lieu écarté, il eût erré au jardin et dans l'hôtel, de manière à se tenir à la portée des occasions, il eût peut-être en un seul instant changé en bonheur le plus vif son affreux malheur » (p. 349).

La même construction est reprise très souvent (cf. p. 451). Stendhal, à l'intérieur même de la fiction, projette d'autres fictions, s'offrant ainsi une revanche imaginaire sur la vie.

---

1. Victor Brombert, *Stendhal et la voie oblique* (P.U.F., 1954).

• La distanciation

Grâce à ces divers procédés, Stendhal critique souvent de façon ironique le caractère adolescent de ses héros et leur attitude romanesque. Il se moque des rêves de gloire de Julien (p. 85). Il critique souvent son comportement : « Sans cette sottise de faire un plan, l'esprit vif de Julien l'eût bien servi... » (p. 93). « Il fut assez sot pour penser... » (p. 95). « J'avoue que la faiblesse dont Julien fait preuve dans ce monologue me donne une pauvre opinion de lui » (p. 148).

Selon certains critiques, il adopterait par là un point de vue rationnel et adulte, pragmatique et réaliste, motivé par sa timidité et sa pudeur.

Certes, l'appréhension du lecteur et de la censure, la crainte de paraître ridicule sont indéniables chez Stendhal, de même qu'un certain plaisir à se montrer plus lucide que ses créatures. Mais ces critiques vont de pair avec des éloges souvent très enthousiastes et sincères.

Alter ego ou tuteur, Stendhal n'est jamais un intrus parmi les héros de ses livres : « Il est à leur diapason, parce qu'il est de la même race qu'eux. Stendhal est le premier et le plus admirable des personnages stendhaliens[1]. »

L'art des préparations : présages et leitmotiv

Stendhal, par effet d'art ou par volonté de composition, a semé son livre de signes prémonitoires, de présages, éléments sans doute appréciés alors mais qui nuisent à la volonté de réalisme.

Peut-être y a-t-il aussi la volonté de Stendhal de plonger ses héros dans une atmosphère de fatalité tragique ?

L'avertissement le plus spectaculaire est celui du chapitre 5 de la première partie lorsque Julien, se rendant à l'église de Verrières, remarque sur le prie-Dieu un morceau de papier imprimé sur les « Détails de l'exécution et les derniers moments de Louis Jenrel, exécuté à

1. Claude Roy, *Stendhal par lui-même* (Le Seuil, 1951, p. 54).

Besançon... ». Julien note : « Son nom finit comme le mien. » « En sortant, Julien crut voir du sang près du bénitier, c'était de l'eau bénite qu'on avait répandue : le reflet des rideaux rouges qui couvraient les fenêtres la faisait paraître du sang » (p. 40). Tout cela annonce directement à la fois la scène où Julien entre dans l'église de Verrières et tire deux coups de pistolet sur Mme de Rênal (IIe partie, chap. 35[1]) et celle de son exécution.

De même, le thème de la condamnation à mort est un véritable leitmotiv : Mathilde, la première, y fait allusion : « Je ne vois que la condamnation à mort qui distingue un homme, pensa Mathilde : c'est la seule chose qui ne s'achète pas » (p. 289). Ce sujet est repris avec l'exécution en place de Grève de Boniface de La Mole le 30 avril 1574, qui prépare l'exécution de Julien ; le geste de Mathilde prolonge celui de Marguerite de Navarre.

À ces divers rappels, on peut ajouter le thème de l'isolement sur un lieu élevé. C'est à « cinq ou six pieds » du sol, « à cheval sur l'une des pièces de la toiture » (p. 32), dans la scierie de son père, qu'on découvre Julien pour la première fois, lisant le *Mémorial de Sainte-Hélène*. C'est encore, lors de son voyage chez son ami Fouqué, dans une grotte en haut d'une montagne, que Julien éprouve le bonheur : « Julien resta dans cette grotte plus heureux qu'il ne l'avait été de la vie, agité par ses rêveries et par son bonheur de liberté » (p. 85). Enfin, c'est dans cette grotte qu'il demande à être enterré et que Mathilde célébrera la cérémonie finale.

Mais la construction relève-t-elle de Stendhal lui-même ou des héros qui mettent en scène de façon théâtrale leur propre vie, lui donnant ainsi les dimensions d'un Destin ?

Le rythme dans « Le Rouge et le Noir »

C'est à travers son rythme que se retrouvent tous les éléments du style de Stendhal, ce rythme qui, pour Claude

---

1. Annoncé aussi par le chapitre 28 de la première partie où Mme de Rênal s'évanouit dans l'église à la vue de Julien.

Roy, est « la vraie poésie de la prose[1] » et que Gide qualifie en ces termes : « Ce quelque chose d'alerte et de primesautier, de discontinu, de subit et de nu qui nous ravit toujours à neuf dans son style[2]. »

Cette allure pressée, cette accélération constante relèvent de certains choix de Stendhal déjà examinés : l'absence d'emphase et de détail ornemental ; l'art de plonger le lecteur dans le présent de son héros et de ne pas lui en révéler davantage, ce qui provoque un sentiment d'improvisation et d'immédiateté ; la langue de Stendhal, classique et sobre, fruit d'un long apprentissage, mais qui produit néanmoins l'effet de la transparence et de la spontanéité. « Il semble toujours qu'on surprenne sa pensée au saut du lit, avant la toilette[3]. »

L'étude de la construction de ses phrases révèle d'autres procédés : l'art de placer les mots essentiels, les formules frappantes à la fin et de laisser ainsi le lecteur sur une impression forte. On retrouve la même technique au niveau du paragraphe et de la scène.

Cela donne une sensation de densité, de concentration extrême, un refus de la complaisance dans l'émotion. « La vertu de Julien fut égale à son bonheur. Il faut que je descende par l'échelle, dit-il à Mathilde, quand il vit l'aube du jour paraître... » (p. 359) ; Stendhal résume ainsi la nuit passée par Julien avec Mathilde[4].

On pourrait citer de nombreuses autres scènes (le coup de pistolet, p. 445) et notamment l'exécution de Julien : « Tout se passa simplement, convenablement, et de sa part sans aucune affectation » (p. 497).

On ne saurait dire les faits plus rapidement.

Les phrases viennent se juxtaposer, se presser, sèches, cassantes (peu ou pas d'adjectifs) : « Comme deux heures venaient de sonner, un grand mouvement se fit entendre. La petite porte de la chambre des jurés s'ouvrit. M. le baron de Valenod s'avança d'un pas grave et théâtral, il

---

1. Claude Roy, *op. cit.*, p. 54.
2. André Gide, *Journal*, 3 septembre 1937.
3. André Gide, *ibid.*, 1er février 1942.
4. Et plus loin : « Elle se trouva enceinte et l'apprit avec joie à Julien » (p. 425).

était suivi de tous les jurés. Il toussa, puis déclara qu'en son âme et conscience la déclaration unanime du jury était que Julien Sorel était coupable de meurtre, et de meurtre avec préméditation : cette déclaration entraînait la peine de mort ; elle fut prononcée un instant après. Julien regarda sa montre, et se souvint de M. de Lavalette ; il était deux heures et un quart. C'est aujourd'hui vendredi, pensa-t-il » (pp. 475-476).

Cette sobriété pathétique aboutit à un sublime vrai ; en donnant des faits bruts, sans leur prolongement, Stendhal a l'art de pratiquer l'ellipse, le raccourci, la coupe brutale. Comme dans la citation précédente, on voit que Stendhal passe du récit au monologue intérieur sans transition, sans effort d'accommodation.

Il use aussi de procédés empruntés à d'autres genres que le roman :
- les formules brèves, les personnages secondaires caricaturés, les décors rapidement esquissés, la succession accélérée de petites scènes comiques rappellent le conte voltairien : « Mathilde vit les premiers avocats du pays, qu'elle offensa en leur offrant de l'or trop crûment ; mais ils finirent par accepter » (p. 457) ;
- les confidents (Mme Derville, Fouqué), l'art de l'exposition puis la montée progressive de la tension qui se précipite dans le dénouement, l'emploi de dialogues rapides, véritables duels oratoires avec échange de répliques sèches, enfin la fréquence des monologues intérieurs, tout cela évoque le genre dramatique.

Mais le propre de Stendhal est justement de rassembler dans un seul mouvement, sans transition, ces éléments pour nous donner cette impression de vie débordante, prise sur le vif, dans laquelle Julien semble sans cesse improviser. Ce rythme, c'est Julien qui lui donne sa vigueur et sa nervosité : c'est le rythme de la jeunesse.

Stendhal ou Flaubert ?

Dans les débats théoriques actuels sur la forme romanesque, Stendhal est beaucoup moins évoqué qu'un auteur comme Flaubert. (Au contraire, dans d'autres formes d'expression beaucoup plus tournées vers la peinture du monde actuel, telles que le reportage, l'enquête télévisée, le cinéma, les formules de Stendhal qui lui donnent ce style rapide et discontinu, sont souvent reprises.)

En effet, Stendhal s'était fortement trompé en affirmant que « la part de la forme devient plus mince chaque jour[1] ». Après lui, les écrivains vont renoncer, les uns après les autres, à l'engagement social pour se replier dans leur « tour d'ivoire » et s'adonner à « l'art pour l'art». Les problèmes de forme vont supplanter tous les autres pour aboutir à la formule de Flaubert : « Ce qui me semble beau, ce que je voudrais faire, c'est un livre sur rien, un livre sans attache extérieure, qui se tiendrait de lui-même par la force interne de son style [...], un livre qui n'aurait presque pas de sujet, ou du moins où le sujet serait presque invisible, si cela se peut. Les œuvres les plus belles sont celles où il y a le moins de matière [...], le style étant à lui seul une manière absolue de voir les choses[2]... »

Flaubert donne ici une définition exactement aux antipodes de la conception stendhalienne. La situation de l'écrivain français aujourd'hui, les recherches actuelles s'inscrivent beaucoup plus dans la problématique de Flaubert que dans celle de Stendhal. De là, les nombreuses références au premier. Mais que, la situation de l'écrivain évoluant, il renonce à vivre en marge et s'intéresse aux problèmes de son temps, et notamment à celui du bonheur, alors la formule stendhalienne reprendra toute son actualité.

---

1. Stendhal, *Lettre à Balzac* du 16 octobre 1840.
2. Gustave Flaubert, *Lettre à Louise Colet*, 16 janvier 1852.

Conclusion

LE BONHEUR EST-IL POSSIBLE ?

Le Rouge et le Noir est une condamnation absolue de la société française de l'époque. Paris est une « comédie perpétuelle », la « paix des champs » s'avère « un enfer d'hypocrisie et de tracasseries ». Les ultras sont prêts à écraser le peuple pour assurer leurs privilèges, les prétendus « libéraux » ne rêvent qu'à la gloire et aux « centaines de mille francs gagnés par Mirabeau ».

Naît-on en haut de la hiérarchie sociale ? On est une « poupée » comme Norbert.

Naît-on en bas de l'échelle ? On perd son âme à tenter de sortir de la médiocrité.

Conclusion pessimiste : le bonheur n'est pas possible dans une telle société. « N'y aura-t-il donc jamais une pauvre petite place pour le simple passager ? » (p. 236), gémit Saint-Giraud, un personnage du *Rouge* qui, semblable à Stendhal, aime la musique, la peinture, et pour qui « un bon livre est un événement ». Mais il doit reconnaître que la politique le chasse, lui qui ne voulait de sa vie entendre parler politique. La prise de conscience de ce que la société est radicalement [illegible]vaise pourrait déboucher sur un combat pour la détruire et en construire une autre, combat qui ne saurait être que collectif. Mais Julien est trop individualiste et trop impatient pour adopter une telle attitude.

Il reste alors la possibilité d'arracher des bribes de bonheur, en marge de la société. Pour cela, encore faut-il connaître ses vrais besoins. « Tout le malheur ne vient que d'erreur[1] », dit Stendhal. Julien, qui ignorait sa véritable

1. *Correspondance*, lettre à sa sœur Pauline, vendredi 11 mai 1804.

nature, sensible, amoureuse, a gâché les instants heureux qu'il aurait pu goûter à Vergy. Mais, à la fin du livre, à la fois définitivement à l'écart de la société et délivré de ses illusions sur le monde et sur lui-même, il trouve enfin le bonheur.

Les conditions extraordinaires qui sont réunies pour que Julien soit heureux prouvent le pessimisme de Stendhal. Mais la mort de son héros est un instant parfait : ayant eu la révélation de la beauté et de l'amour, il illustre par sa maîtrise de soi et son élégance au moment suprême les valeurs stendhaliennes.

Accueil de la critique

JUGEMENT DE STENDHAL SUR SON ŒUVRE

Stendhal a lui-même commenté son œuvre dans un « Projet d'article sur *Le Rouge et le Noir* » écrit en automne 1832. Pour plus de liberté, il signa d'un pseudonyme, procédé fréquent chez lui.

« Première audace : *Le Rouge et le Noir* décrit la société contemporaine et ne sacrifie pas à la précision anecdotique. [...]

Deuxième audace : le roman décrit les formes aberrantes que revêt l'amour dans la société parisienne de l'époque et, d'une façon plus générale, fait le portrait de la "France morale" de 1830. [...] Le naturel dans les façons, dans les discours est le beau idéal auquel M. de S[tendhal] revient dans toutes les scènes importantes de son roman. »

En conclusion, Stendhal récapitule avec satisfaction les mérites de son roman « vif, coloré, plein d'intérêt et d'émotion. L'auteur a su peindre avec simplicité l'amour tendre et naïf. »

QUELQUES POINTS DE VUE SUR L'ŒUVRE

Une bonne partie des journalistes s'insurge contre « l'atrocité morale » du héros, partant, de l'écrivain. « Un homme singulièrement brouillé avec la simplicité, une dénonciation en forme contre l'âme humaine ; une sorte d'amphithéâtre où on le voit disséquer pièce à pièce la lèpre morale dont il la croit rongée » (*Revue de Paris*, 1830).

« De l'Algèbre sur le cœur humain ; il prend huit à dix personnes et les barbouille de rouge et de noir... Tout mouton cachera sous sa laine l'âme d'un garçon boucher » (*L'Artiste*, 1831).

Citons l'appréciation humoristique de son ami Mérimée :

« Un de vos crimes c'est d'avoir exposé à nu et au grand jour certaines plaies [...]. Il y a dans le caractère de Julien des traits atroces dont tout le monde sent la vérité, mais qui font horreur. Le but de l'art n'est pas de montrer ce côté de la nature humaine [...]. Vous êtes impardonnable d'avoir mis en lumière les vilenies cachées de cette belle illusion [l'amour] » (Prosper Mérimée, *Lettres à Stendhal*, LXXIV, p. 221).

Plus tard, Zola lui reprochera d'être trop abstrait et de négliger le contexte concret des actions :

« Personne n'a possédé à un degré pareil la mécanique de l'âme. Une idée se présente, c'est la roue qui va donner le branle à toutes les autres ; puis une autre idée naît à droite, une autre à gauche, d'autres en avant, d'autres en arrière, et il y a des poussées, des retours, un travail qui s'organise peu à peu, qui se comporte, qui finit par montrer l'âme entière à la besogne, avec ses facultés, ses sentiments, ses passions. Cela emplit des pages ; on peut même dire que l'œuvre est faite de cette analyse. Le logicien conduit ses personnages avec une rigueur extrême au milieu des écarts les plus contradictoires en apparence... Chacun des caractères qu'il a créés est une expérience de psychologue qu'il risque sur l'homme... Stendhal pour moi n'est pas un observateur qui part de l'observation pour arriver à la vérité grâce à la logique ; c'est un logicien qui part de la logique et qui arrive souvent à la vérité, en passant par-dessus l'observation... » (*Les Romanciers naturalistes*, 1881.)

Avec le recul du temps, les critiques ont su voir dans l'aventure de Julien un destin exemplaire, qui illustre une vérité historique dépassant celle de la « société de 1830». Ainsi Paul Bourget :

« Que Julien Sorel soit un personnage de son époque, c'est trop évident. Pourquoi hésite-t-il entre la carrière de soldat et celle de prêtre, entre l'uniforme et la soutane ?...

Parce qu'il est un jeune homme de la Restauration, encore enchanté du prestige de Napoléon et qui, dévoré d'ambition, se rend compte que le moyen de parvenir n'est plus au bivouac. Julien est aussi un provincial avec le mélange de maladresse et de convoitise, d'effronterie et de timidité d'un dépaysé supérieur que Paris déconcerte et attire, exaspère et charme à la fois, qui s'en défie et s'y enchante. Cette atmosphère de malaise intime fut celle de Stendhal lui-même à son arrivée dans la capitale. Elle est peinte dans *Le Rouge et le Noir* avec une finesse extraordinaire... Cette continuelle oscillation entre l'Armée et l'Église devrait nous donner l'idée d'un temps bien vieux. Il n'en est rien parce que l'auteur a su mettre un dessous permanent à ces accidents. Si Julien hésite dans sa carrière, s'il est ému jusqu'à la frénésie par son adaptation à la vie parisienne, c'est qu'il est *un plébéien en transfert de classe* » (Préface à l'édition J. Marsan, 1923).

Enfin, Paul Valéry insiste sur le « ton » inimitable de Stendhal :

« Ce qui frappe le plus dans une page de Stendhal, ce qui sur-le-champ le dénonce, attache ou irrite l'esprit, c'est le ton... Et de quoi ce ton est-il fait ? Je l'ai peut-être déjà dit : être vif à tous risques, écrire comme on parle quand on est homme d'esprit, avec des allusions même obscures, des coupures brusques, des bonds et des parenthèses ; écrire presque comme on se parle ; tenir l'allure d'une conversation libre et gaie ; pousser parfois jusqu'au monologue tout nu ; toujours et partout fuir le style poétique, et faire sentir qu'on le fuit, qu'on déjoue la phrase *perse*, qui, par le rythme et l'étendue, sonnerait trop pur et trop beau, atteindrait ce genre soutenu que Stendhal raille et déteste, où il ne voit qu'affectation, attitude, arrière-pensées non désintéressées » (*Variété II*, 1930).

Bibliographie

• Études d'ensemble sur Stendhal

- Alain, « Stendhal », in *Les Arts et les Dieux* (Gallimard, 1958). Quelques analyses intéressantes surtout sur le style de Stendhal.
- Maurice Bardèche, *Stendhal romancier* (la Table Ronde, 1947). Livre qui mène de front la biographie de Stendhal et l'analyse de ses œuvres. Le chapitre VI (pp. 159-229) étudie *Le Rouge et le Noir* en se centrant essentiellement sur la psychologie des personnages et leurs rapports avec Stendhal et ses expériences.
- Michel Crouzet, *Stendhal ou Monsieur moi-même* (« Grande bibliographie » Flammarion, 1990). De la part du grand spécialiste de Stendhal, une somme sur la vie du romancier.
- Gérard Genette, *Figures II*, « Essai sur Stendhal » (Le Seuil, 1969). Essai sur la personnalité de Stendhal (égotisme, goût du pseudonyme) et sur la relation équivoque qui unit l'auteur à son œuvre.
- François Landry, *L'Imaginaire chez Stendhal* (L'Âge d'Homme, 1982). Le chapitre I de la troisième partie (pp. 189 à 239) analyse plusieurs aspects de l'œuvre : les sources événementielles, la rêverie, l'image de soi.
- Geneviève Mouillaud, *Le Rouge et le Noir, le roman du possible* (Larousse, 1973). Excellent petit livre portant à la fois sur les techniques littéraires, l'idéologie et les interprétations psychanalytiques de ce roman.
- Jean-Pierre Richard, *Littérature et sensation* (Le Seuil, 1954). Étude sur la coexistence chez Stendhal de deux « climats essentiels » : « sécheresse » et « tendresse », qui naît d'une double exigence : celle d'un bonheur où l'âme sensible s'anéantit et celle d'une analyse lucide des êtres et des choses.
- Claude Roy, *Stendhal par lui-même* (Le Seuil, 1951). Des réflexions très éclairantes sur la personnalité de Stendhal, ses idées morales et politiques, sa conception de la littérature ; une bonne anthologie d'extraits de l'écrivain.
- *Europe*, numéro spécial sur Stendhal, juillet-août-septembre 1972, n° 519. Ensemble d'articles sur divers aspects de l'œuvre de Stendhal. Les articles les plus pertinents pour *Le Rouge et le Noir* sont ceux de :
  - Geneviève Mouillaud, « Stendhal et les problèmes de la société » (pp. 64-78) ;
  - Annie-Claire Jaccard, « Julien Sorel : la mort et le temps du bonheur » (pp. 113-133) ;
  - Guy Gauthier, « Stendhal et le cinéma » (pp. 225-246).

• Études sur les idées politiques de Stendhal

- Henri-François Imbert, *Les Métamorphoses de la liberté* (J. Corti, 1967). Analyse de l'attitude de Stendhal face aux événements de son époque ; son indifférence politique, la portée symbolique de ses héros.
- Geneviève Mouillaud. « Sociologie des romans de Stendhal », *Revue internationale des sciences sociales,* n° 4, 1967. Les idées de Stendhal éclairées par le milieu libéral qu'il fréquentait sous la Restauration.
- Fernand Rude, *Stendhal et la pensée sociale de son temps* (Plon, 1967).

• Études sur l'art du romancier

- Georges Blin, *Stendhal et les problèmes du roman* (J. Corti, 1953). L'analyse la plus importante sur l'art du romancier et ses techniques.
- Victor Brombert, *Stendhal et la voie oblique* (P.U.F., 1954). Analyse très fine des divers procédés d'intervention de l'auteur dans *Le Rouge et le Noir* ; étude des rapports entre l'écrivain et ses personnages : l'œuvre comme revanche imaginaire et comme autopunition ; ces exigences contradictoires sont le ressort caché du dynamisme dans le roman stendhalien.
- Pierre-Georges Castex, *« Le Rouge et le Noir » de Stendhal* (S.E.D.E.S., 1967). Brève étude sur les sources du livre, ses « pilotis historiques » ; reprise des analyses de Blin sur le style de l'écrivain.
- Jean Prévost, *La Création chez Stendhal* (Mercure de France, 1967). Approfondissement sur quelques points de l'étude de Georges Blin.
- Émile Zola, *Les Romanciers naturalistes* (Fasquelle, 1881). Critique du roman stendhalien par le théoricien de l'école naturaliste.

• Ouvrages généraux

- René Girard, *Mensonge romantique et Vérité romanesque* (Grasset, 1961). Étude de la médiation comme essence du roman : le héros ne choisit plus les objets de son désir, mais copie ceux du modèle qu'il se donne ; *Le Rouge et le Noir* illustre particulièrement cette thèse.
- Lucien Goldmann, *Pour une sociologie du roman* (Gallimard, coll. « Idées », 1964). Approche marxiste de la création romanesque ; définition des différents types de roman.
- Claude-Edmonde Magny, *Histoire du roman français depuis 1918* (Le Seuil, 1950). Quelques allusions à Stendhal amenées par des rapprochements avec les romanciers contemporains.

Filmographie

- Gennaro Righelli, *Le Rouge et le Noir*, 1928. Dans ce film, Julien Sorel périt héroïquement sur les barricades ! Du même réalisateur : *Il Corriere del Re* (« Le Courrier du roi »), nouvelle adaptation vingt ans plus tard (1948).
- Claude Autant-Lara a tiré du roman un long métrage tourné en 1954. *Scénaristes* : Aurenche-Bost. *Acteurs* : Gérard Philipe (Julien), Danielle Darrieux (Mme de Rênal), Antonella Lualdi (Mathilde de La Mole).

INDEX DES THÈMES ET NOTIONS

(Les numéros renvoient aux pages du *Profil*.)

LITTÉRATURE

TEXTES EXPLIQUÉS

160 **Apollinaire,** Alcools
131 **Balzac,** Le père Goriot
141/142 **Baudelaire,** Les fleurs du mal / Le spleen de Paris
135 **Camus,** L'étranger
159 **Camus,** La peste
143 **Flaubert,** L'éducation sentimentale
108 **Flaubert,** Madame Bovary
110 **Molière,** Dom Juan
166 **Musset,** Lorenzaccio
161 **Racine,** Phèdre
107 **Stendhal,** Le rouge et le noir
104 **Voltaire,** Candide
136 **Zola,** Germinal

ORAL DE FRANÇAIS

• 12 sujets corrigés

167 **Baudelaire,** Les fleurs du mal
168 **Molière,** Dom Juan
175 **Flaubert,** Madame Bovary
176 **Voltaire,** Candide

• Groupement de textes

94 La nature : Rousseau et les romantiques
95 La fuite du temps
97 Voyage et exotisme au XIXe siècle
98 La critique de la société au XVIIIe siècle
106 La rencontre dans l'univers romanesque
111 L'autobiographie
130 Le héros romantique
137 Les débuts de roman
155 La critique de la guerre
174 Paris dans le roman au XIXe siècle

HISTOIRE LITTÉRAIRE

114/115 50 romans clés de la littérature française
119 Histoire de la littérature en France au XVIe siècle
120 Histoire de la littérature en France au XVIIe siècle
139/140 Histoire de la littérature en France au XVIIIe siècle
123/124 Histoire de la littérature et des idées en France au XIXe siècle
125/126 Histoire de la littérature et des idées en France au XXe siècle
128/129 Mémento de littérature française
151/152 Le théâtre, problématiques essentielles
174 25 pièces de théâtre de la littérature française
179/180 La tragédie racinienne
181/182 Le conte philosophique voltairien
183/184 Le roman d'apprentissage au XIXe siècle

PRATIQUE

100 EXERCICES

501 L'accord du participe passé
502 L'orthographe
503 La grammaire
504 Les fautes de français les plus courantes
505 Le vocabulaire
506 S'exprimer avec logique
507 Mieux rédiger
508 Les pièges de la ponctuation

EXPRESSION ÉCRITE ET ORALE

306 Trouvez le mot juste
307 Prendre la parole
310 Le compte rendu de lecture
311/312 Le français sans faute
323 Améliorez votre style, tome 1
365 Améliorez votre style, tome 2
342 Testez vos connaissances en vocabulaire
426 Testez vos connaissances en orthographe
390 500 fautes de français à éviter
391 Écrire avec logique et clarté
398 400 citations expliquées
415/416 Enrichissez votre vocabulaire
424 Du paragraphe à l'essai

EXAMENS

427/428 Le texte argumentatif
422/423 Les mots clés du français au bac
303/304 Le résumé de texte
417/418 Vers le commentaire composé
313/314 Du plan à la dissertation
324/325 Le commentaire de texte au baccalauréat
421 Pour étudier un poème
317/318 Bonnes copies de bac, Le commentaire composé
319/320 Bonnes copies de bac, Dissertation, essai
363/364 Bonnes copies de bac, Technique du résumé et de la discussion

PROFIL CASSETTE

601 **Stendhal,** Le rouge et le noir
602 **Balzac,** Le père Goriot
603 **Voltaire,** Candide
604 **Baudelaire,** Les fleurs du mal
605 **Molière,** Dom Juan
606 **Racine,** Phèdre

Imprimé en France par l'Imprimerie Hérissey - 27000 Évreux
Dépôt légal : 17093 - Décembre 1998 - N° d'impression : 82382